CW00392897

Pour Bruno qui a si souvent négocié pour
m'emmener voir les lumières du stade.
JMB

ISBN 978-2-07-063048-6

Loi n° 49-956 du 6 juillet 1949 sur
les publications destinées à la jeunesse
Dépôt légal : mai 2010
N° d'édition : 172104
Photogravure Scanplus
Imprimé et relié en Espagne par Egedsa

Tothème

Le football

Jean-Michel
Billioud

TOTHÈME MODE D'EMPLOI

COMMENT ÇA MARCHE ?

DATE

L'histoire du foot est jalonnée de grands événements tels que la naissance de la FIFA, la diffusion du football, la première coupe du monde, certains matchs inoubliables, la première retransmission à la télé...

TACTIQUE

Du football sans tactique au football total, en passant par le WM et le Catennaccio, les entraîneurs ont mis au point des tactiques axées soit sur la défense soit sur l'attaque et qui ont fait leur preuve.

ÉQUIPEMENT

Lors d'un match de foot, les joueurs disposent d'un ballon, d'un maillot, de chaussures et d'un terrain. Au fil des années, ces accessoires ont évolué pour devenir de plus en plus sophistiqués.

COMPÉTITION

Chaque continent a son tournoi de football, c'est l'occasion de s'affronter entre nations et de faire battre le cœur de millions de spectateurs.

ENJEU

Le foot est avant tout un jeu mais il est au cœur de nombreux enjeux mondiaux tels que la politique, le business, la carrière des joueurs.

POSTE

Il y a quatre postes sur le terrain : gardien, attaquant, milieu de terrain et défenseur mais il y a aussi tous ceux qui gravitent autour comme le journaliste, l'entraîneur, l'arbitre, etc. sans qui il n'y aurait pas de foot.

STAR

Joueurs qui ont marqué l'histoire du foot ou joueurs actuels, ces stars ont tous une carrière passionnante, faite de succès et d'épreuves à surmonter. Découvrez la particularité du jeu de chacun.

CLUB

Les grands clubs du monde entier font vibrer leurs supporteurs depuis de nombreuses années. Aux heures de gloire succèdent des périodes plus sombres, revivez les grands moments de ces clubs mythiques.

Si tu aimes les exposés structurés et chronologiques (commencer par le début et terminer par la fin) : parcours ton livre de 1 à 60 !

Chaque entrée est classée de 1 à 60. La couleur du cube indique à quelle famille elle appartient.

Nom de la famille

Nom de l'entrée

Si tu es perdu, reporte-toi au sommaire (page suivante) ou bien ouvre le dernier rabat : il te permet à tout moment de retrouver les 60 sujets, classés par thème.

Si tu préfères naviguer au fil de ta curiosité et créer des liens entre les sujets — parfois surprenants et inattendus ! — : suis les indications en bas de page.

Enfin, si tu connais à l'avance le sujet qui t'intéresse (ou si tu dois faire un exposé) : tu peux directement aller voir l'index à la fin du livre.

OÙ TROUVER L'INFORMATION ?

Ce parcours fléché de 1 à 60 permet de bien visualiser les moments clés de l'histoire du football.

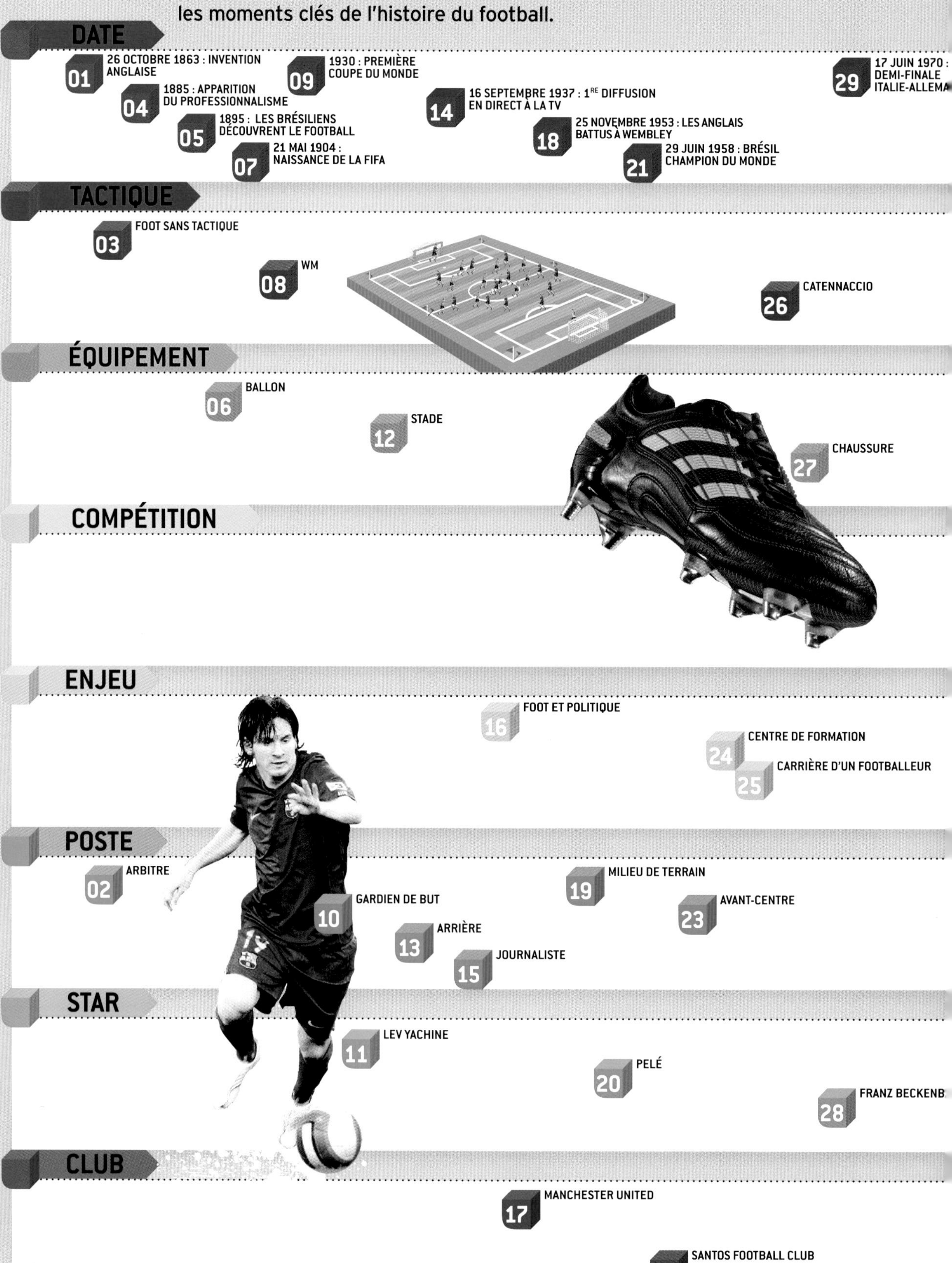

Les dates, les stars et les tactiques sont classées par ordre **chronologique**. Les autres sujets, plus **thématiques** (équipement, compétition, enjeu, poste, club), donnent au fil du livre des repères essentiels pour mieux comprendre tous les aspects du football.

LE SPORT LE PLUS POPULAIRE DU MONDE

Le football a conquis la planète tout entière au XXe siècle. Devenu parfois un enjeu politique, économique ou médiatique, il a imprégné toutes les sphères de la société mais il reste avant tout et à jamais un formidable jeu.

Calcio, fútbol, futebol ou soccer, quel que soit son nom, le football est une passion partagée par une grande partie de l'humanité. Une ferveur universelle que l'on peut expliquer par de multiples raisons. Le football est d'abord un jeu d'une grande simplicité : un ballon, une balle de tennis ou une boule de chiffon, un square, une cour ou une ruelle, deux joueurs au minimum et le match est lancé. Simplement pour le plaisir de défier son adversaire, d'imposer sa technique et sa vitesse ou de vaincre parce que l'on est le plus fort ou bien le plus roublard. Bonheur enfantin de dribbler, de tacler ou de marquer, il est le même pour le gamin des favelas ou la star adulée au contrat mirobolant. Qui est souvent la même personne.

Un terrain de jeu planétaire

Premiers codificateurs du football, les fiers Anglais n'avaient pas imaginé que leur invention puisse exister sans eux. Mais leurs marins, leurs diplomates, leurs hommes d'affaires l'ont diffusé à chacun de leur voyage. Et ce langage universel s'est imposé aux quatre coins du monde, s'adaptant au fil des ans aux caractéristiques d'un continent, à la culture d'un pays. Chacun l'a imaginé, transformé, adapté à sa manière. Romantique pour les Autrichiens de Mathias Sindelar, rapide et logique pour les Hongrois de Ferenc Puskas, rythmé avec les Brésiliens de Pelé, total avec les Hollandais de Johan Cruyff ou félin avec les Ivoiriens de Didier Drogba, chaque football grandit avec son style propre, transmis de génération en génération.

Spectaculaire et émouvant

Art populaire, le football est aussi un spectacle fascinant, au scénario parfait puisque toujours imprévisible. Et avec les ballons d'or, les joueurs « de devoir », les journalistes, les médecins, les entraineurs ou les présidents, il a ses acteurs vedettes, ses seconds rôles, ses producteurs, ses techniciens et ses metteurs en scène. Partout dans le monde, on dresse en son honneur des théâtres imposants où se pressent les supporters par milliers, passionnés jusqu'à en perdre parfois la raison. Car le football a aussi sa face noire avec la violence sur et en dehors du terrain, les tricheries, la corruption, la mise en cause de l'arbitrage, le dopage et la mainmise des pouvoirs économique, médiatique ou politique. Mais l'incertitude d'une rencontre, la beauté d'une action, la magie d'un arrêt, l'invention d'un geste technique lui rendent bien vite son statut initial de jeu et d'incomparable créateur d'émotions.

01 SO BRITISH

Après des millénaires de jeux de balle et de ballon, le football trouve enfin ses premières règles en Angleterre. Mais tout le monde ne les accepte pas.

Les racines des différents jeux de ballon remontent à plus de 5 000 ans en Chine. Ces jeux se retrouvent en Égypte, chez les Aztèques, au Japon, en Grèce ou à Rome mais il s'agit avant tout d'exercices éducatifs. Sous diverses formes rudimentaires, des compétitions entre villages naissent au Moyen Âge et à l'époque moderne en Europe. Les plus célèbres sont le calcio, pratiqué par les nobles vénitiens et florentins dès le XVIe siècle, ou la soule en France et en Grande-Bretagne. Au XIXe siècle, deux types de jeu de ballon deviennent très populaires auprès des étudiants anglais. Certains privilégient l'usage des mains comme à Rugby, d'autres celui des pieds

Le saviez-vous ?
Jusqu'en 1891, le penalty n'existe pas. Puisque la majorité des joueurs étaient pensionnaires des meilleurs collèges de l'Angleterre victorienne, on estimait qu'ils étaient incapables de commettre la moindre irrégularité !

Les Britanniques vont rester invaincus sur leurs terres jusqu'au **25 novembre 1953**, date fatidique où

comme à Cambridge. Parfois certains matchs ont lieu avec les règles des uns pour la première mi-temps et des autres pour la seconde ! Il est urgent de clarifier les choses. Le 26 octobre 1863, des représentants de clubs et de collèges anglais se réunissent dans une taverne de Londres et se mettent d'accord pour adopter des règles très précises pour le football et, ainsi, le différencier du rugby : la Football Association est née. Cependant les lois du jeu ne sont pas encore très claires ; les joueurs n'ont plus le droit de transporter le ballon sous le bras mais ils peuvent encore le toucher avec la main. Cette règle ne sera supprimée que six ans plus tard.

Plus doux que le rugby
Le fait que le football soit moins violent que le rugby joue un grand rôle dans sa diffusion à la fin du XIXe siècle. Craignant que les blessures ne les éloignent de leur travail, les joueurs, encore amateurs, choisissent de plus en plus le ballon rond !

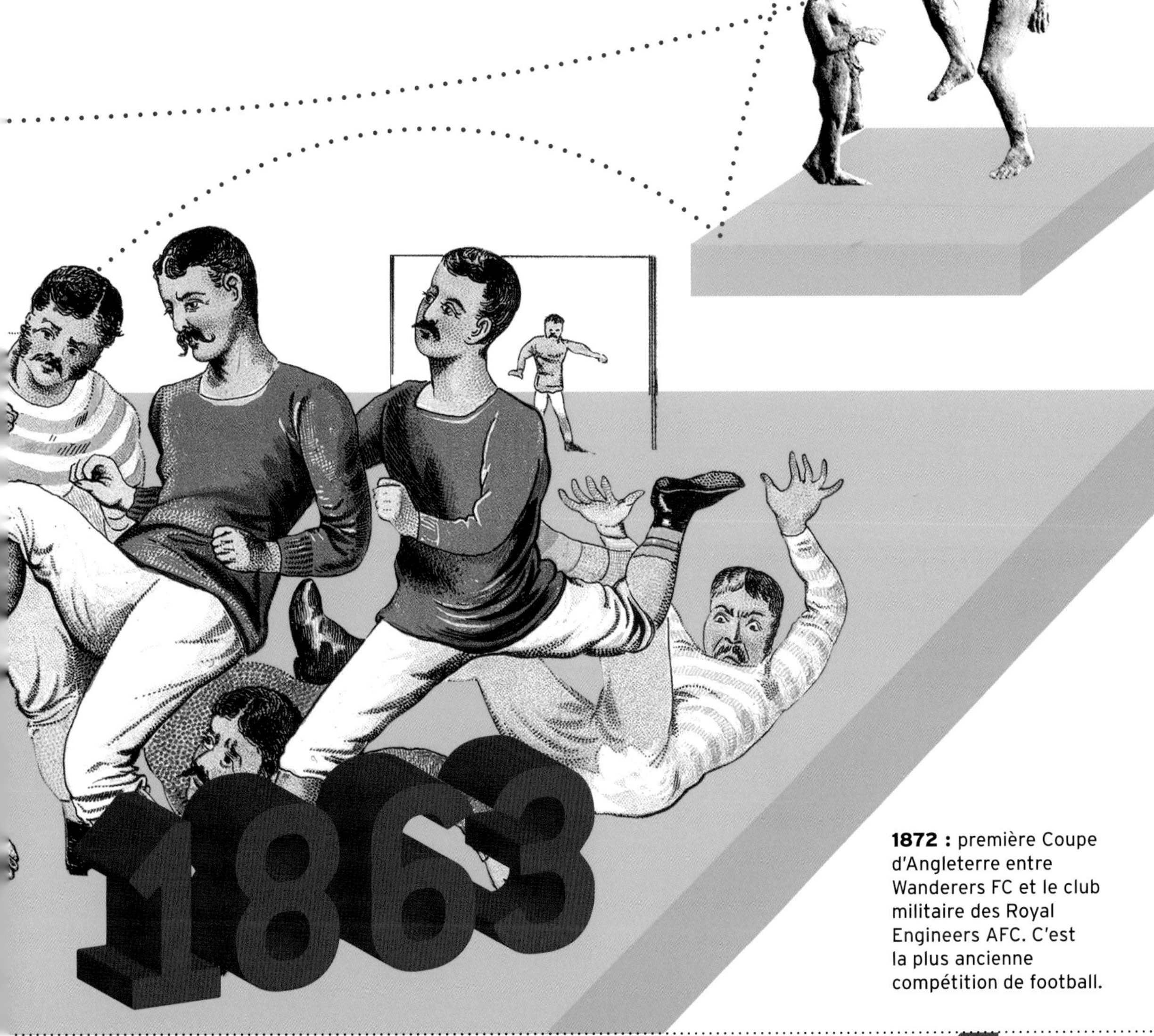

1872 : première Coupe d'Angleterre entre Wanderers FC et le club militaire des Royal Engineers AFC. C'est la plus ancienne compétition de football.

ils sont battus par les Hongrois lors d'un match à Wembley.

POSTE ARBITRE

L'HOMME EN NOIR

Sifflet à la bouche, cartons dans la poche, te voilà Monsieur loyal, le maître du champ de jeu. Économise ton souffle, tu vas en avoir besoin.

Quel rôle ingrat ! Tu dois connaître par cœur les 17 lois du jeu, courir pendant quatre-vingt-dix minutes sans aucun répit, siffler les fautes, sanctionner les joueurs à coups de cartons, calmer les entraîneurs et, en plus, rapporter par écrit tous les événements de la partie sur la feuille de match. Et tout cela pour être sifflé à ton tour car personne ne t'applaudit jamais. Le public devrait te respecter plus car tu es indispensable. Sans toi, aucun match officiel ne peut se dérouler normalement. On t'a longtemps appelé l'homme en noir mais aujourd'hui ce n'est plus forcément exact : tu peux choisir la couleur de ta tenue depuis 1994 et tu croises de plus en plus de femmes arbitres. Tu dois être courageux car la passion exacerbée de certains supporteurs fait de l'arbitrage un métier à risque. Heureusement, tu es assisté dans ta lourde tâche par deux autres arbitres qui courent le long de la ligne de touche avec leur drapeau. Mais certains veulent plus. Ils aimeraient que tu sois aidé par l'arbitrage vidéo pour prendre tes décisions. D'autres s'y opposent farouchement car ils pensent que cela ralentirait le jeu et ne simplifierait rien du tout !

Les règles du football sont régulièrement précisées et parfois modifiées. L'une des plus importantes récemment adoptée est l'interdiction faite au gardien de prendre à la main sur une passe en retrait volontaire de leur défenseur. Quand cela arrive, l'arbitre doit siffler coup franc dans la surface !

Hors-jeu !
La règle du hors-jeu a beaucoup changé au cours de l'histoire. Aujourd'hui, un joueur est en position de hors-jeu s'il est plus près de la ligne de but adverse que le ballon et l'avant-dernier adversaire. Mais il n'y a pas de hors-jeu si l'attaquant est dans sa propre moitié de terrain ou s'il reçoit le ballon directement sur une touche, sur un corner ou de ses adversaires.

Carton jaune 1
Il a valeur d'avertissement.

Carton rouge
Il est donné en cas de faute grave et entraîne l'expulsion.

L'arbitre siffle pour signaler un coup franc.

Carton jaune 2
Au bout du second carton jaune, le joueur est expulsé du terrain.

L'arbitre de la première finale de Coupe du monde, en 1930, était belge, depuis les meilleurs arbitres de la planète

L'arbitre doit obligatoirement être muni d'un sifflet. Il est indispensable notamment pour donner le coup d'envoi, signaler un coup franc ou annoncer la fin du match.

La première arbitre au niveau professionnel est la canadienne Sonia Denoncourt qui dirige plusieurs matchs en Amérique du Sud en 1996. En 1930, l'arbitre belge John Langenus avait demandé aux organisateurs une assurance sur la vie avant de diriger la finale de la première Coupe du monde entre l'Uruguay et l'Argentine !

Un joueur remplaçant d'une équipe peut recevoir un carton rouge sans être entré une seconde sur le terrain. Il doit quitter le banc de touche immédiatement.

Juges de touche
Ils brandissent leur drapeau lorsqu'un joueur est hors-jeu, que le ballon sort du terrain ou qu'ils constatent une irrégularité.

sont sélectionnés pour la **Coupe du monde**.

03

COMME À LA RÉCRÉ

Les premières rencontres de football ressemblent étrangement aux matchs dans une cour d'école. Tous les joueurs se disputent le ballon dans une grande mêlée avec un seul objectif, dribbler et marquer !

Dans les premiers temps, la tactique du football est extrêmement simple. À l'exception du gardien de but, personne n'a véritablement de place. On joue à dix devant quand on attaque et à dix derrière quand on défend ! Le football consiste principalement à dribbler en solitaire les adversaires jusqu'au but adverse. C'est le règne du dribbling. La passe n'existe pas ou exceptionnellement. L'égoïsme n'est pas la seule explication de cette tactique encore très frustre. Tout d'abord, les terrains ne sont pas toujours très plats et les ballons si peu ronds que toute passe réussie est un véritable exploit. Mais surtout, il est interdit de faire une passe en avant. Avec cette règle du hors-jeu trop restrictive, la passe a beaucoup moins d'intérêt !

En **1866**, le règlement évolue : un joueur n'est plus hors-jeu si trois adversaires se situent entre lui et la ligne de but. L'attaquant peut donc s'approcher de plus en plus des buts adverses et attendre des passes venues de l'arrière !

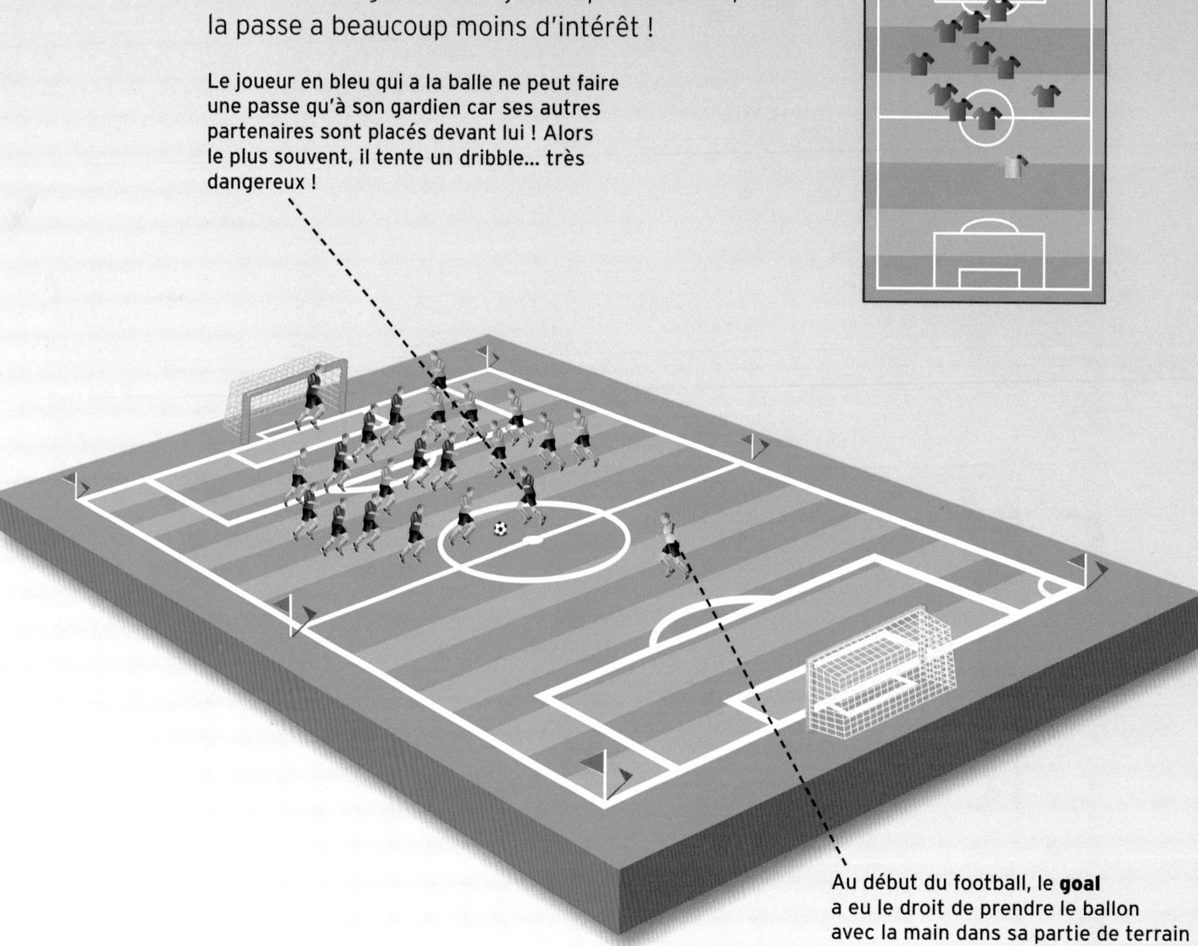

Les entraîneurs vont inventer des tactiques de jeu imparables comme le **catennaccio**. → 26

DATE 1885 : APPARITION DU PROFESSIONNALISME

04 DU LOISIR AU BUSINESS

À ses débuts, le football est une activité de loisir et ses fondateurs n'ont aucune envie que cela change. Mais l'argent rentre vite sur le terrain et n'en sortira jamais.

Dès les années 1880, le succès du football est considérable en Grande-Bretagne, en particulier dans les grandes villes et les centres industrialisés. Les matchs attirent déjà des milliers de spectateurs et certains joueurs commencent à être payés pour exercer leur passion. Mais cette pratique, interdite, suscite bien des débats. Certaines équipes sont accusées de compter des professionnels dans leurs rangs mais comment le prouver ?

Les dirigeants de la Football Association menacent d'exclure les clubs suspectés mais craignent que les professionnels montent un championnat parallèle. Aussi adoptent-ils l'attitude intermédiaire, quand on ne peut pas interdire quelque chose, mieux vaut l'autoriser. En 1885, le professionnalisme est instauré. Quatre ans plus tard, c'est l'apparition du premier championnat entièrement professionnel.

Le saviez-vous ?
Né dans les milieux bourgeois et aristocrate, le football gagne rapidement les milieux ouvriers grâce aux jeunes enseignants issus des *public school* anglaises.

La carrière d'un footballeur est semée d'embuches mais les meilleurs font fortune. →

DATE 1895 : LES BRÉSILIENS DÉCOUVRENT LE FOOTBALL

05 UN VIRUS CONTAGIEUX

En quelques années, le football envahit le monde entier comme une traînée de poudre. Le ballon rond roule vers un fabuleux destin.

Après l'Angleterre, les premiers matchs de football ont lieu en Suisse et en Belgique où sont installés de nombreux collèges britanniques. En Allemagne, ce sont des négociants, des industriels et parfois même des pasteurs anglais qui participent à sa diffusion. La carte de l'implantation internationale du football suit aussi largement les routes maritimes : de Marseille à Buenos-Aires, des dizaines de clubs voient le jour dans les ports où les marins anglais affrontent des équipes locales lors de leurs courtes escales. Mais ce sont les immigrés anglais qui jouent un rôle déterminant. Le 15 avril 1895, le premier match officiel de football au Brésil oppose des employés de plusieurs compagnies anglaises, à l'initiative de Charles Miller, fils de l'honorable consul d'Angleterre à São Paolo. En 1914, seuls les continents africains et asiatiques ne sont pas encore convertis à ce nouveau sport.

Le saviez-vous ?
En Australie et en Nouvelle-Zélande qui ont des relations étroites avec la Grande-Bretagne, le football-rugby débarque dès 1870 mais c'est le ballon ovale qui l'emporte.

Après un échec en finale de la Coupe du monde 1950, les Brésiliens s'imposent en **1958**. →

AU COEUR DE LA PARTIE

Pendant quatre-vingt-dix minutes, le ballon reçoit des coups de pied, des coups de tête, mais aussi des caresses. Côté technique, il est comme les joueurs, il ne cesse d'évoluer.

L'ancêtre du ballon
Les premiers ballons étaient des vessies d'animaux gonflées et protégées par une enveloppe de cuir. Mais ils se dégonflaient souvent et il fallait prévoir une pompe près du terrain !

Des lacets
Utilisés pour fermer l'enveloppe, les lacets en cuir étaient apparents et causaient parfois de sérieuses blessures aux joueurs lorsqu'ils faisaient des têtes.

Lourds, si lourds..
Les premiers ballons en cuir se gorgeaient d'eau en cas de pluie et devenaient dangereux au bout de quelques minutes. Cela explique en partie pourquoi le jeu de tête était limité dans les premiers temps du football.

1863
Les premières règles de la Football Association ne font aucune allusion au ballon.

1872
Les dimensions du ballon sont fixées une première fois.

1937
Les dimensions du ballon sont définitivement fixées.

1951
Le ballon peut être blanc pour être plus visible sur l'écran de télévision. Auparavant, il était en cuir marron.

1974
Premier ballon entièrement synthétique

1998
Apparition du premier ballon tricolore lors de la finale de la Coupe du monde France – Brésil.

Chaque tournoi continental, comme la **CAN** par exemple, a son ballon officiel. →

DATE 21 MAI 1904 : NAISSANCE DE LA FIFA

07 TOUTE PUISSANTE

Le monde du football est très heureux de cette nouvelle mais les Anglais en prennent ombrage ! Après des débuts difficiles, la FIFA est reconnue par tous les pays.

La Fédération internationale de football association (FIFA) est fondée à Paris par les représentants belges, danois, néerlandais, espagnols, suédois, suisses et français pour développer le football dans le monde. Son premier rôle est d'organiser les rencontres internationales et de mettre en place une grande compétition mondiale. Mais les Anglais ne veulent pas abandonner leur autorité sur ce sport qu'ils estiment avoir inventé. Jusqu'en 1909, la FIFA ne compte que des membres européens. Il faut attendre la fin des années 1920 pour qu'elle s'impose comme l'instance dirigeante et l'autorité suprême du football mondial. Mais ce n'est pas encore très glorieux.
Sa première grande compétition, la Coupe du monde 1930, n'est qu'un demi-succès.

Le saviez-vous ?
Installée à Zurich depuis 1932, la FIFA compte aujourd'hui 208 membres.

La FIFA joue un rôle majeur dans la gestion du football et de son **business**. →

TACTIQUE WM

08 LE RÈGNE DU 3-2-2-3

Mise au point en Angleterre, cette tactique règne sur les stades européens entre 1930 et 1950. Avec le marquage individuel, les matchs se transforment en onze défis individuels.

Après le football de « cour de récréation », les entraîneurs imaginent de nouvelles tactiques pour renforcer l'efficacité de leur équipe. Dans le premier quart du XXe siècle, le système pyramidal est le plus populaire. Il prévoit deux arrières, trois demis et cinq avants. Mais cette tactique fragilise le centre de la défense. D'autant plus qu'à la fin des années 1920, l'évolution d'une règle importante favorise les attaquants. Désormais, un joueur n'est plus hors-jeu quand, au moment où il reçoit le ballon, deux adversaires se trouvent entre lui et la ligne de but. Auparavant, il fallait trois adversaires. Afin de renforcer la défense, on fit reculer un des demis pour placer trois hommes devant le gardien et deux des cinq avants pour servir de relais. Les lettres WM marquent la place des joueurs sur le terrain.

Lorsque deux équipes ayant adopté cette tactique s'affrontaient, chaque joueur se trouvait à côté du même adversaire pendant tout le match. C'est ainsi que naquit la notion du marquage individuel.

Les Bleus jouent en WM, ils sont donc mieux protégés avec leurs trois arrières et leurs deux demis défensifs.

L'attaquant des Bleus n'est pas hors-jeu car il y a le défenseur et le goal entre lui et la ligne de but. Il est en position de force pour marquer.

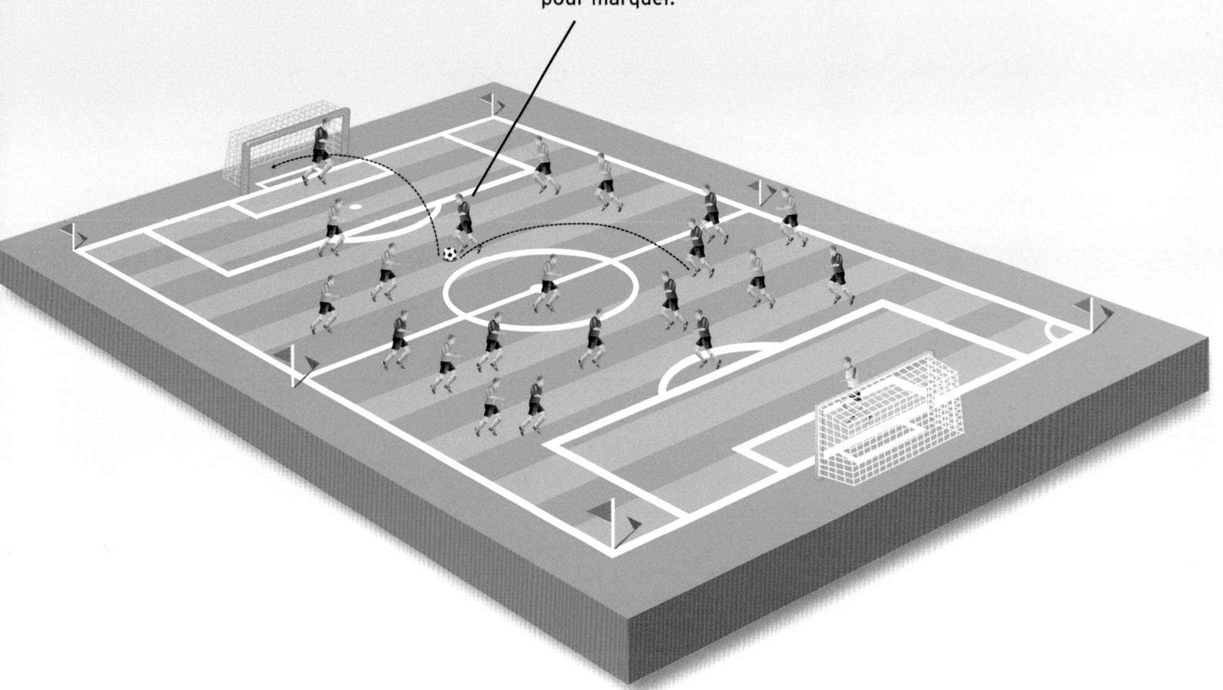

Adopté par les Anglais, le WM fut la tactique suprême jusqu'à la défaite du **25 novembre 1953.** →

09 TOUS EN URUGUAY !

La FIFA décide de confier l'organisation de la première Coupe du monde à l'Uruguay qui a remporté la médaille d'or aux jeux Olympiques de Paris (1924) et d'Amsterdam (1928).

Mais cette décision ne fait pas l'unanimité : le voyage au bout du monde coûte cher et la crise économique fait rage en Europe. De plus la traversée de l'Atlantique est longue : elle prive les clubs de leurs meilleurs joueurs pendant deux mois. À cette époque les qualifications n'existaient pas encore, seules quatre sélections européennes acceptent de participer au tournoi : la Belgique, la France, la Roumanie et la Yougoslavie. Elles retrouvent neuf équipes américaines dont celle des États-Unis qui compte de nombreux joueurs anglais naturalisés.
Les matchs se déroulent dans trois stades de la capitale (Montevideo). Le premier but de l'histoire de la Coupe du monde est marqué par le Français Lucien Laurent contre le Mexique. Les rencontres sont plaisantes et aucune ne se termine sur un score d'égalité ! L'Uruguay, l'Argentine, les États-Unis et la Yougoslavie terminent en tête de leur poule et se qualifient pour les demi-finales. Comme aux jeux Olympiques de Londres, les finalistes sont les Uruguayens et les Argentins qui s'affrontent dans le gigantesque stade Centenario, construit pour la compétition, devant 90 000 spectateurs. Plus de 20 000 supporteurs argentins ont rejoint d'urgence Montevideo en paquebot pour soutenir leur équipe mais ils seront déçus. Menés à la mi-temps, les Uruguayens remportent le match 4 à 2 devant la foule en délire. Encore modeste lors de sa première édition, la Coupe du monde va devenir, tous les quatre ans, l'événement majeur du football.

Le saviez-vous ?
Le premier trophée, la « déesse de la victoire », est une statuette en or massif de 30 cm et 4 kg.

Cette première Coupe du monde est très peu médiatisée en Europe faute d'**envoyés spéciaux**.

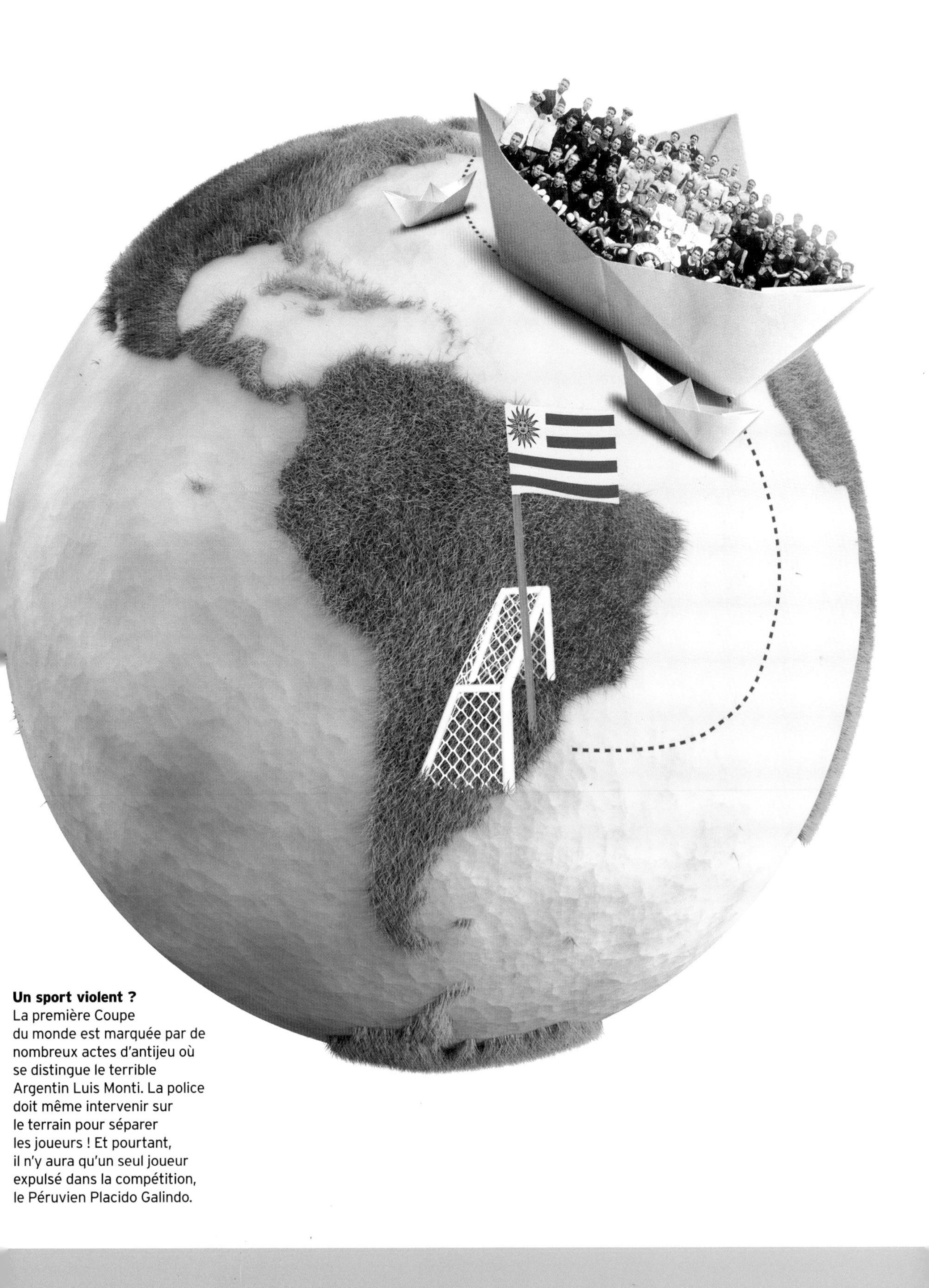

Un sport violent ?
La première Coupe du monde est marquée par de nombreux actes d'antijeu où se distingue le terrible Argentin Luis Monti. La police doit même intervenir sur le terrain pour séparer les joueurs ! Et pourtant, il n'y aura qu'un seul joueur expulsé dans la compétition, le Péruvien Placido Galindo.

On est loin du battage médiatique actuel. →

10 L'ANGE GARDIEN

Tu es le « gardien » du but, un cerbère prêt à tout pour défendre son territoire ! Mais ne pense pas être en position de force, tu n'as pas le droit à l'erreur.

Éternel solitaire, à l'affût pendant quatre-vingt-dix minutes, tu attends entre les poteaux ta possible exécution. Et il n'est pas rare que tu sois abandonné par tes arrières et fusillé sans états d'âme par un des bombardiers de l'équipe adverse. Agile, vif comme un félin, tu es prêt à te sacrifier en plongeant dans les pieds des attaquants et tu es surtout un peu fou ! Tu es un joueur à part. D'ailleurs, tu es le seul à pouvoir te servir de tes mains, à être habillé différemment des autres et à avoir autant de responsabilités. Car, si tu ne touches parfois qu'une seule fois le ballon par match, il ne faut pas le rater. Chaque erreur se paie cash. Non seulement cela ne te fait pas peur mais c'est même pour ces poussées d'adrenaline que tu fais ce métier !

Le top 5 :
Gordon Banks
Fabien Barthez
Sepp Maier
Lev Yachine
Dino Zoff

◀ Le gardien de but a le droit de porter des **gants** pour améliorer la prise du ballon et une casquette pour se protéger du soleil.

◀ Le gardien de but est obligé de porter un **maillot** de couleur différente de celle de ses coéquipiers, de l'arbitre et des arbitres assistants.

De nombreux gardiens ont déjà marqué des buts sur penalty, coup-franc ou même de la tête en s'approchant des buts adverses. Mais en 1967, le gardien irlandais de Tottenham, Pat Jennings, a fait mieux. Il inscrit un but sur une relance à la main de sa surface de réparation. Porté par le vent, son ballon a trompé le goal de Manchester United, placé à près de 80 m !

Avec Sepp Maier et Oliver Kahn, le **Bayern de Munich** a eu deux des meilleurs goals mondiaux. →

L'ARAIGNÉE NOIRE

Gardien de but du Dynamo de Moscou et de la flamboyante équipe d'URSS des années 1960, Yachine, par son talent et ses acrobaties, est l'incontestable numéro 1 des numéros 1.

À 16 ans, quand les recruteurs du Dynamo de Moscou le repèrent, Yachine se destine au métier de serrurier. C'est peut-être pour cela qu'il a réussi pendant des années à faire de ses cages de véritables coffres-forts inviolables. Toujours vêtu de noir, quasiment imbattable sur les balles aériennes, le gardien de l'URSS est le maître absolu de ce poste ingrat qu'il révolutionne. Comme un défenseur supplémentaire, il est le premier à oser sortir de sa surface pour bloquer les attaques de ses adversaires et relancer instantanément pour mieux les déstabiliser. Depuis 1994, le meilleur gardien de but de la Coupe du monde de football reçoit un trophée qui porte son nom. Le Belge Michel Preud'homme, le Français Fabien Barthez, l'Allemand Oliver Kahn ou l'Italien Gianluigi Buffon ont reçu cette illustre récompense. De beaux successeurs pour le géant soviétique !

LEV YACHINE

État civil
1929 - 1990

Poste
gardien de but

Clubs
Dynamo de Moscou (1950-1970)

Palmarès
seul gardien à avoir remporté le Ballon d'or (1963), il est aussi champion olympique en 1956 avec l'URSS aux Jeux de Melbourne (Australie).

Équipe de Russie :
78 sélections

Il a gagné le premier **Championnat d'Europe** avec l'URSS en 1960. →

UN THÉÂTRE FABULEUX

Géant de béton illuminé par des centaines de projecteurs, le stade est un lieu de spectacle et d'émotions fascinant avec sa scène verdoyante, ses décors et ses coulisses !

Certaines de ces colossales arènes abritent des magasins où sont vendus les équipements aux couleurs du club, une salle des trophées mais aussi des restaurants !

Dans le stade Giuseppe Meazza de Milan, partagé par le Milan AC et l'Inter, un musée rappelle l'histoire des deux clubs et expose leurs plus grands joueurs en statues de cire.

Les vestiaires
Le règlement de l'Union européenne de football est très précis : il exige que les grands stades soient dotés d'un vestiaire pour chaque équipe avec au minimum cinq douches, trois WC et des places assises pour au moins vingt-cinq personnes, une table de massage et un tableau de démonstration tactique. Il faut aussi un vestiaire pour les arbitres avec au minimum une douche, un WC avec siège, cinq sièges et un pupitre.

En simple béton ou en plastique, dans des salons luxueux ou en plein air, des milliers de places sont prévues pour les spectateurs.

min 90 / max 120 m

La construction du parc des Princes a débuté en 1969. Le stade a été inauguré par Georges Pompidou en 1972.

Le mythique stade de l'**OM**, le Vélodrome de Marseille, a été construit pour la Coupe du monde 1938

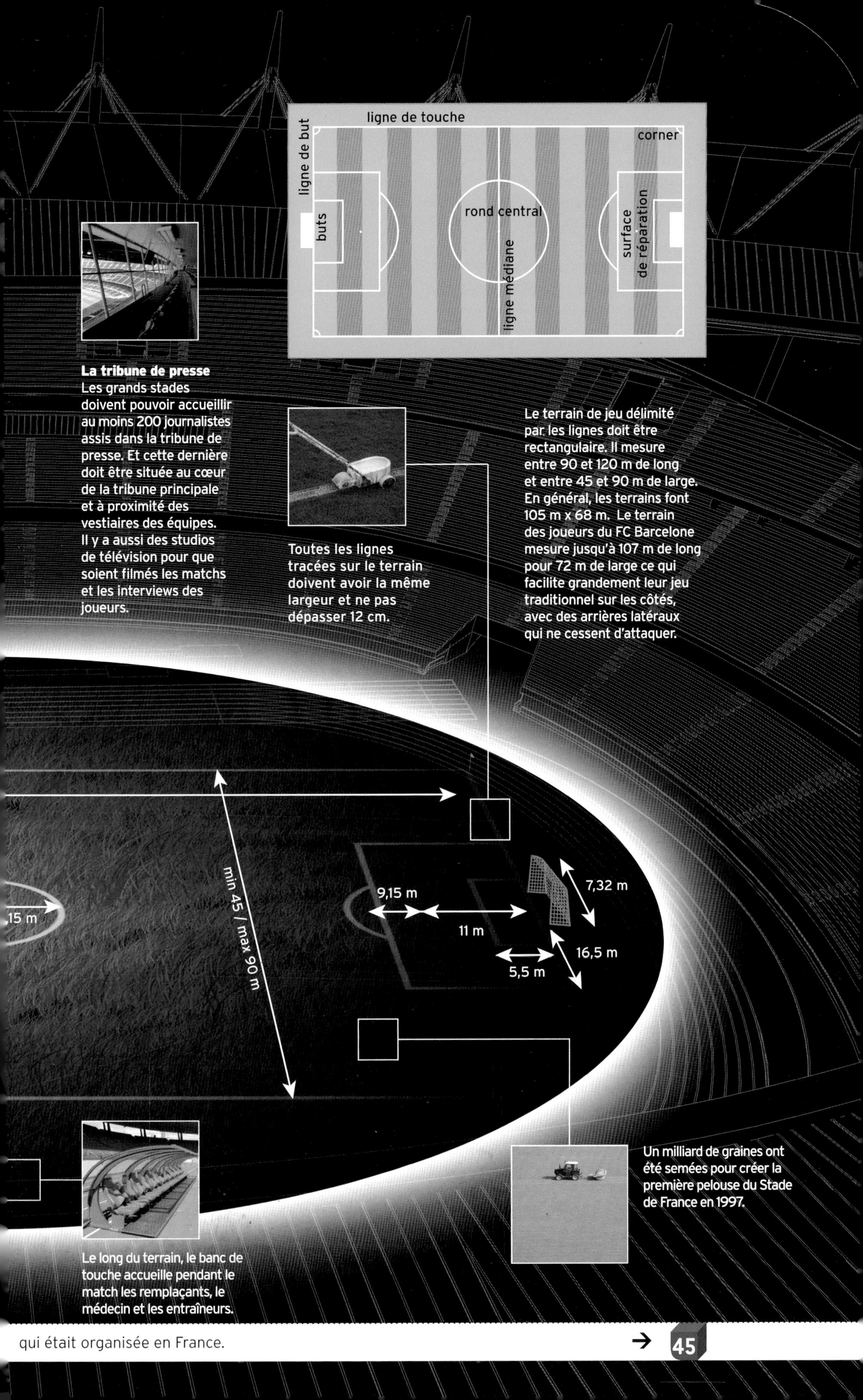

La tribune de presse
Les grands stades doivent pouvoir accueillir au moins 200 journalistes assis dans la tribune de presse. Et cette dernière doit être située au cœur de la tribune principale et à proximité des vestiaires des équipes. Il y a aussi des studios de télévision pour que soient filmés les matchs et les interviews des joueurs.

Toutes les lignes tracées sur le terrain doivent avoir la même largeur et ne pas dépasser 12 cm.

Le terrain de jeu délimité par les lignes doit être rectangulaire. Il mesure entre 90 et 120 m de long et entre 45 et 90 m de large. En général, les terrains font 105 m x 68 m. Le terrain des joueurs du FC Barcelone mesure jusqu'à 107 m de long pour 72 m de large ce qui facilite grandement leur jeu traditionnel sur les côtés, avec des arrières latéraux qui ne cessent d'attaquer.

Le long du terrain, le banc de touche accueille pendant le match les remplaçants, le médecin et les entraîneurs.

Un milliard de graines ont été semées pour créer la première pelouse du Stade de France en 1997.

qui était organisée en France.

LE MINISTRE DE LA DÉFENSE

Placé près des buts, tu es la base sur laquelle s'appuie l'équipe tout entière. En tant qu'arrière, tu peux être latéral, libero ou stoppeur, selon ta spécialité.

Tu es le latéral gauche, l'un des défenseurs de ton équipe. Souvent mal aimé du public, tu as pourtant d'incroyables qualités. Tu es solide comme un roc, rapide comme l'éclair et tu as une santé de fer : tu passes ton temps à courir le long de la ligne de touche pour défendre mais aussi pour contre-attaquer. Essentiellement destructeur dans les premiers temps, ton poste a beaucoup évolué. Tu dois aujourd'hui savoir tout faire : tacler, dégager, relancer et prendre les attaquants adverses dans le piège subtil du hors-jeu. Tu dois aussi avoir un bon jeu de tête, un sens du placement aussi irréprochable que ta concentration, une bonne qualité de centre et parfois même il t'arrive d'être buteur. Tout un art pas si facile à maîtriser. Trois défenseurs seulement ont remporté le Ballon d'or du meilleur joueur européen, les Allemands Franz Beckenbauer et Matthias Sammer et l'Italien Fabio Cannavaro. Il vous faudrait un avocat afin de donner enfin la parole à la défense !

Le saviez-vous ?
Aux débuts du football, les équipes alignaient parfois un seul arrière ce qui entraînait forcément des scores fleuves !

Tacle : ce geste a pour but de subtiliser le ballon à l'adversaire, il requiert vitesse et agilité. En cas de « tacle par-derrière » ou de coup de pied sur le joueur au lieu du ballon, l'arbitre peut exiger l'expulsion de son auteur.

Les **défenseurs centraux** sont le plus souvent les joueurs les plus grands et les plus costauds de leur équipe. Ils s'appuient sur ces qualités physiques exceptionnelles pour impressionner et contrer les attaquants.

Dans le football moderne, les **défenseurs latéraux** des équipes au jeu offensif sont ceux qui font le plus de kilomètres. Ils montent rapidement en attaque pour délivrer des centres très dangereux devant le but.

Franz Beckenbauer, le plus grand joueur de football allemand, a donné au poste de défenseur

De nombreux joueurs commencent leur carrière en attaque ou au milieu de terrain et deviennent par la suite d'excellents défenseurs. L'Allemand Franz Beckenbauer et le Français Laurent Blanc ont fait ce chemin avec beaucoup de talent.

Le top 5
Franz Beckenbauer
Bixente Lizarazu
Paolo Maldini
Bobby Moore
Nilton Santos

Les joueurs doivent obligatoirement porter des **protège-tibias** sous leurs chaussettes. Avec certains défenseurs particulièrement rugueux, c'est une protection indispensable.

◀ Devenus obligatoire en 1990, les protège-tibias sont portés par les joueurs afin d'atténuer les chocs reçus pendant les matchs sur les jambes. Ils sont aujourd'hui réalisés en matériaux très légers et offrent une très bonne protection.

ses lettres de noblesse. →

DATE 16 SEPTEMBRE 1937 : 1RE DIFFUSION EN DIRECT À LA TV

14 LE PETIT ÉCRAN

Le ballon rentre dans la petite lucarne et ne va plus en sortir. Après quelques balbutiements, le football devient le spectacle favori de millions de passionnés.

Quelques images télévisées d'un match de football sont diffusées dès 1936 pour la rencontre Allemagne-Italie. Mais la technique n'est pas très au point et les caméras ne cessent de tomber en panne. La première véritable retransmission a donc lieu le 16 septembre 1937 pour un match très modeste qui oppose Arsenal... et sa réserve ! Le club londonien a été choisi non pour son prestige mais en raison de la proximité de son stade avec les studios de télévision de la BBC. Quelques mois plus tard, le 30 avril 1938, la finale de la Coupe d'Angleterre est diffusée en intégralité. Les téléviseurs sont si peu nombreux que le nombre de téléspectateurs ne dépassent pas 10 000 pour 93 497 spectateurs dans le stade de Wembley. Ce n'est qu'un début. La finale de la Coupe du monde réunit aujourd'hui plus d'un milliard de téléspectateurs tous les quatre ans !

Interview de **George Allison**, manager de l'Arsenal Football Club, en 1937.

La Coupe du monde de 1954, en Suisse, est la première à être télévisée en Europe. En 1970, tous les matchs de la Coupe du monde au Brésil sont retransmis en couleurs.

Les droits de retransmission des matchs sont une part très importante du **business** des clubs. →

15

INDISPENSABLE RELAIS

À l'origine de la création de nombreuses compétitions, principal lien entre le football professionnel et le public, tu es devenu l'un des partenaires indissociables des footballeurs professionnels.

Bravo ! Tu es devenu le journaliste vedette de la plus grande chaîne de télévision du pays après avoir commencé dans un tout petit quotidien de sport. Ta mission principale est de commenter les matchs et de les analyser en conservant le plus possible ton objectivité. Et ce n'est pas facile car tu as forcément une équipe de cœur. Pendant le match, tu es placé avec les autres journalistes dans la tribune de presse.
Lors de certaines compétitions prestigieuses, vous êtes plus de mille ! Tout le monde commente en même temps, il est difficile de se concentrer mais tu adores ton métier. Surtout quand tu descends à la mi-temps dans le tunnel qui mène au vestiaire pour essayer d'avoir un commentaire du capitaine ou de l'entraîneur des équipes. Bien sûr, il est plus facile d'interroger ceux qui ont gagné ! Mais les joueurs aiment répondre aux interviews car un passage à la télévision a le pouvoir d'accroître leur popularité.

Un journaliste sportif ne sort jamais sans son carnet ni son stylo afin de prendre les notes nécessaires à la rédaction de son article.

De nombreuses compétitions et trophées ont été initiés par des journalistes. Le premier Ballon d'or a été décerné en 1956 par le magazine *France Football* qui avait créé un an auparavant la Coupe d'Europe des clubs !

Un des plus célèbres consultants de la télévision française a été **Michel Platini**. → 40

INDISSOCIABLES

Combats supposés pacifiques, les matchs de football dépassent bien souvent le cadre étroit du sport : ils déchaînent les passions ou fédèrent les peuples.

Vainqueurs de la Coupe du monde en 1934 et 1938, les joueurs italiens faisaient le **salut fasciste** à Mussolini avant les matchs.

La large majorité des grands clubs engage des joueurs venus des quatre coins de la planète mais pas l'**Athletic Bilbao**. Depuis sa création en 1898, il ne recrute que des joueurs basques !

En 1978, l'équipe d'**Argentine** triomphe en finale de la Coupe du monde à Buenos Aires. Mais cette victoire en est aussi une pour la dictature militaire au pouvoir.

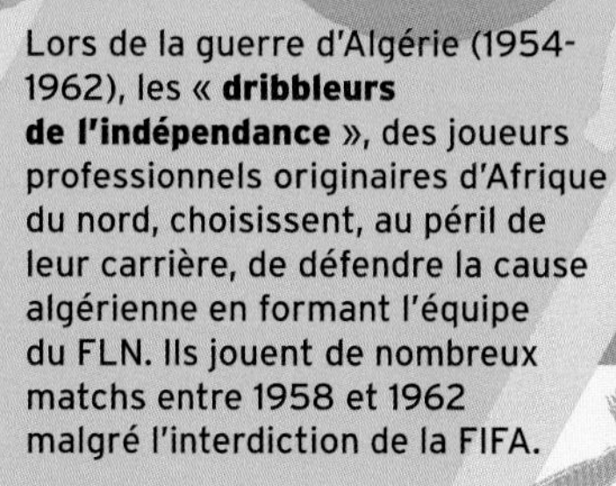

Lors de la guerre d'Algérie (1954-1962), les « **dribbleurs de l'indépendance** », des joueurs professionnels originaires d'Afrique du nord, choisissent, au péril de leur carrière, de défendre la cause algérienne en formant l'équipe du FLN. Ils jouent de nombreux matchs entre 1958 et 1962 malgré l'interdiction de la FIFA.

Neuf ans après la capitulation de 1945, **l'Allemagne** remporte la finale de la Coupe du monde contre les favoris hongrois en 1954. C'est un tournant dans l'histoire du pays. Pour la première fois depuis longtemps, les Allemands ont le droit d'être fiers.

Propriétaire du **Milan AC**, Silvio Berlusconi a profité de la popularité de son club pour convaincre les Italiens

En **1998**, le titre de champion du monde de la France attire sur les Champs-Élysées la plus grande manifestation de joie depuis la Libération. L'union de tout un peuple est symbolisée par l'équipe de France et ses nombreux joueurs issus de l'immigration.

Certaines sélections ne représentent pas des **pays indépendants** mais elles sont très rares. C'est le cas de l'Écosse, du pays de Galles ou des îles Feroé. Inversement, le Vatican et Monaco n'ont pas d'équipe nationale !

Le choix d'organiser la **Coupe du monde** dans un pays est une décision politique et économique très importante. La compétition permet de favoriser le développement des infrastructures (routes, moyens de transports) mais aussi de placer les problèmes d'un pays sous les feux des projecteurs.

En **juillet 1969**, alors que la situation politique est très tendue entre le Salvador et le Honduras, trois matchs entre les deux sélections nationales mettent le feu aux poudres. Heureusement, cette guerre du football ne dure que quatre jours.

En 1986, l'Angleterre affronte l'Argentine en quart de finale de la Coupe du monde 1986 au Mexique. La tension est très forte entre supporteurs des deux camps car quatre années auparavant les deux pays se combattaient militairement lors de la « **Guerre des Malouines** ». L'Argentine prend sa revanche sur le rectangle vert.

de l'élire président du Conseil. →

17 CLUB MANCHESTER UNITED

DIABLES ROUGES

Fondé en 1878, le club fait la gloire du football anglais au même titre que Liverpool ou Arsenal. Son stade d'Old Trafford est surnommé le théâtre des rêves.

Le 20 février 1958, après un match à Belgrade en Coupe d'Europe des clubs champions, l'avion où ont pris place les joueurs de Manchester s'écrase à Munich, causant la mort de vingt-trois personnes dont huit joueurs. L'équipe qui était sur le point de dominer l'Europe est décimée. Mais elle va revenir au sommet en hommage aux disparus. Dix ans plus tard, sous la conduite de leur entraîneur Matt Busby, survivant du crash, les Red Devils gagnent leur première Coupe d'Europe. Après une traversée du désert, le club commence une ère de gloire avec sir Alex Ferguson aux commandes en 1986. Charismatique, le manager écossais révèle une nouvelle génération de jeunes joueurs brillants, profondément attachés aux valeurs du club.

JOUEURS DE LÉGENDE

- Bobby Charlton
- George Best
- Eric Cantona
- David Beckam
- Cristiano Ronaldo

FOREVER MANCHESTER

Symbole de la fidélité des joueurs à leur club, le Gallois Ryan Giggs a joué plus de 800 matchs sous le maillot mancunien !

Il a été prouvé que les équipes jouant avec un **maillot** rouge gagnaient plus souvent.

IT'S A SHAME !

Avant cette date, aucune équipe continentale n'avait encore battu les inventeurs du football sur leur terrain fétiche. Mais la sélection hongroise arrive à Londres précédée d'une flatteuse réputation.

Invaincue depuis 1950, championne olympique aux Jeux d'Helsinki en 1952, l'équipe hongroise est un adversaire de taille. Il en faut plus pour impressionner les fiers Anglais convaincus de leur supériorité.
Au moment où les Magyars rentrent sur la pelouse, certains joueurs britanniques se moquent même de leurs équipements qu'ils jugent dépassés. D'autres s'amusent en découvrant le petit attaquant Ferenc Puskas. Ils ne vont pas tarder à regretter leur suffisance. Car, si le meneur de jeu hongrois, « le major galopant », a un ventre rebondi, il a aussi un pied gauche magique.
Et non seulement les Hongrois vont battre les Anglais mais ils vont en plus leur infliger une terrible correction. Très vite, la différence entre les deux équipes est flagrante. Les commentateurs comparent les Hongrois à des pur-sang et leurs adversaires à des chevaux de trait. Battus 6 à 3, les Anglais ne s'en sortent pas trop mal. Leurs adversaires ont tiré 35 fois au but et eux, 5 fois seulement ! C'est une véritable humiliation. Six mois plus tard, le 23 mai 1954, la Hongrie accueille une Angleterre, avide de revanche, au Népstadion de Budapest. Le match tourne une nouvelle fois à la déroute pour les Britanniques battus 7 à 1.

Le rêve des Hongrois de remporter la Coupe du monde s'évanouit un soir de juillet 1954. Alors qu'ils n'avaient pas perdu le moindre match depuis quatre ans, ils s'inclinent 3 à 2 en finale contre la RFA. C'est l'une des plus grosses surprises de l'histoire de la compétition.

La sélection hongroise est surnommée l'Aranycsapat, « l'équipe en or » en hongrois.

Avant ce match mythique, les **supporteurs** anglais se sentaient invincibles.

UN POSTE CLÉ

Génie créatif ou marathonien des stades, meneur de jeu, relayeur ou récupérateur, en tant que milieu de terrain, tu peux être un seul de ces personnages ou jouer tous les rôles à la fois.

Les spécialistes sont unanimes, un match de football se gagne ou se perd au milieu du terrain. C'est pour cela que l'entraîneur t'a placé dans cette zone stratégique avec 1, 2, 3 ou même 4 joueurs selon le dispositif tactique choisi ! Face à l'équipe que tu rencontres, ta mission est clairement définie. En tant que milieu offensif, tu as la responsabilité du jeu : tu prépares les attaques, cherches les ouvertures dans la défense adverse ou lances les attaquants à l'assaut du but. Chaque meneur de jeu a ses spécialités. Toi, c'est le dribble chaloupé et les passes aussi précises que décisives, des qualités très rares. Mais pour pouvoir créer, tu as aussi besoin du soutien des milieux défensifs, placés juste derrière toi sur le terrain. Leur rôle est aussi sombre que capital ! Ce ne sont pas toujours des poètes mais ils sont efficaces ! Solides, agressifs et techniques, ils récupèrent le ballon, colmatent les brèches et relancent l'équipe : une mission de grognards, d'aboyeurs, de justiciers et de maîtres tacticiens. Ils doivent « lire » le jeu adverse et anticiper les attaques afin de mieux les contrer ! Ensemble, vous constituez le cœur de l'équipe !

Dribble :
il consiste à courir la balle au pied tout en évitant les adversaires. Il requiert équilibre et concentration pour être une arme redoutable.

La passe :
l'une des astuces pour contrer la défense adverse est de se passer le ballon entre coéquipiers en avançant jusqu'au but adverse. Cette technique, pour être efficace, exige précision et rapidité de la part des joueurs notamment lorsqu'ils subissent un marquage serré.

Diego Maradona, joueur argentin emblématique des années 1980, a été l'un des meilleurs

Le top 5
Michel Platini
Diego Maradona
Bobby Charlton
Steven Gerrard
Claude Makelele

Maîtres tacticiens, les milieux de terrains deviennent souvent d'excellents entraîneurs après leur carrière de joueur.

Capitaine de l'équipe nationale anglaise en 1922, le milieu de terrain **Maxwell Woosnam** est un sportif complet. L'année précédente, il avait remporté le double du tournoi de tennis de Wimbledon !

Le ballon d'Or **Stanley Mattews** est un milieu de terrain résistant : il a joué son dernier match en première division anglaise à 50 ans.

milieux de terrain offensifs de l'histoire.

→ 44

20

LE ROI PELÉ

Triple champion du monde, auteur de 1 281 buts dans sa carrière, le Brésilien Edson Arantes do Nascimento est le souverain incontesté de la planète football.

Dribbles insaisissables, passes visionnaires, sens inné du but, détente exceptionnelle, Pelé est un virtuose du ballon rond, et un génie précoce qui ne cesse d'inventer le football.
Professionnel à 16 ans, il devient champion du monde une année plus tard en inscrivant deux buts en finale contre la Suède. Son adversaire direct, le défenseur Sigge Parling, confiera plus tard : « J'avais envie de l'applaudir. » C'est un diamant brut. Aucun autre joueur ne gagnera le titre mondial aussi jeune. Et ce n'est pas un feu de paille. Pendant près de vingt ans, Pelé brille sur les terrains du monde entier et remporte deux autres Coupes du monde. Seule la Coupe de 1966 en Angleterre lui échappe.
Les coupables sont le Bulgare Jetchev et le Portugais Morais. Délinquants du football, ils assassinent le génie en plein vol de leurs crampons acérés. Blessé, Pelé doit renoncer. Le Brésil finit quatrième de la compétition et le roi veut sa revanche.

PELÉ

Date de naissance
23 octobre 1940 à Três Corações (Brésil)

Poste
milieu offensif ou avant

Principaux clubs
FC Santos (1956-1974) et New York Cosmos (1974-1977)

Palmarès
vainqueur de trois Coupes du monde, ministre des Sports du Brésil de 1995 à 1998

Équipe du Brésil
91 sélections et 97 buts

Le roi Pelé, après une magnifique carrière de footballeur, a joué un rôle **politique** dans son pays,

Lors des Coupes du monde de 1958 et de 1962, Pelé partage la vedette, dans l'équipe du Brésil, avec Garrincha. Cet attaquant de génie tentait toujours le même dribble...et il le réussissait à chaque fois.

Quatre ans plus tard, en finale de la Coupe du monde face à l'Italie, Pelé s'élève irrésistiblement dans le ciel mexicain. Dans la défense transalpine, personne n'est en mesure de s'opposer à lui. L'Italien Tarcisio Burgnich a déjà compris : « Avant le match, je me disais : il est en chair et en os, comme moi. Mais je m'étais trompé. » D'un coup de tête, le plus célèbre numéro 10 de la planète marque le centième but du Brésil dans l'histoire de la compétition. Tout un symbole. Pelé est champion du monde pour la troisième fois. Le lendemain de cette finale somptueuse, le *Sunday Times* titre : « Comment épelez-vous Pelé ? D-I-E-U ».

en devenant ministre des Sports du Brésil de 1995 à 1998.

→

DATE 29 JUIN 1958 : BRÉSIL CHAMPION DU MONDE

21

SAMBA AU ROYAUME DE SUÈDE

Virtuoses, insaisissables, magiques, les Brésiliens qui avaient ébloui le monde entier par leur football champagne lors des précédentes éditions remportent enfin le titre suprême !

Après la Suisse (1954), qui avait vu la victoire surprise des Allemands, c'est au tour de la Suède d'accueillir la sixième édition de la Coupe du monde en 1958. Seize équipes ont fait le déplacement pour la plus grande des compétitions internationales qui est télévisée pour la première fois. Les téléspectateurs peuvent admirer les Français Raymond Kopa, élu meilleur joueur du tournoi, et Just Fontaine qui inscrit le nombre encore inégalé de 13 buts au cours de l'épreuve, le Soviétique Lev Yachine, et surtout les Brésiliens Garrincha, Vava et Pelé. Âgé de 17 ans seulement, Pelé, futur roi du football, inscrit 6 buts, dont 2 en finale. Le Brésil remporte sa première Coupe du monde sur le score de 5 à 2 et devient la nation dominante du football mondial en remportant deux des trois prochaines Coupes du monde (1962 et 1970).

Le Royaume-Uni en force : L'Angleterre, l'Écosse, le Pays de Galles et l'Irlande du Nord sont présents ensemble lors de la phase finale. C'est la seule fois de l'histoire !

Pour la première fois de l'histoire de la Coupe du monde, un match finit sur le score nul de 0 à 0 : Angleterre-Brésil au premier tour.

Le Brésil est également souvent le grand vainqueur de la **Copa America**. →

L'ÉCRIN DU ROI PELÉ

Dans les années 1960, les joueurs de Santos exportent leur football samba sur les terrains du monde entier avec le maestro Pelé comme chef d'orchestre.

Fondé en 1912 dans une ville située à 70 km de la gigantesque mégalopole de São Paulo, Santos prend son envol à partir de 1955 avec l'arrivée de Pelé. Cet adolescent chétif de 15 ans révolutionne le club et lui permet d'accumuler les titres. Le meilleur joueur de l'histoire va inscrire 1 281 buts en 1 363 matchs jusqu'en 1974 avec le maillot blanc ou rayé de bandes verticales noires. Le jeu de Santos est spectaculaire et enchante les spectateurs sur tous les terrains du monde. Ce sont les « Harlem Globe Trotters » du football car Pelé n'est pas seul. Ses flamboyants partenaires se nomment Zito, Coutinho, Ze Carlos, Pepe, Carlos Alberto, Toninho, Edu ou Clodoaldo. Après la retraite de Pelé, les joueurs de Santos restent insatiables et leur club devient le 20 janvier 1998 le premier de l'histoire du football à avoir passé le cap des dix mille buts.

Quand Santos effectue des tournées en Europe, les meilleurs clubs européens cherchent à recruter Pelé. Le Congrès brésilien met un terme à ces offres en déclarant Pelé « Trésor national non exportable ».

Deux joueurs de Santos ont rejoint le **Cosmos de New York** : Carlos Alberto et Pelé. → 38

9, UN SACRÉ NUMÉRO !

Te voilà avant-centre, tu occupes l'une des places les plus difficiles du football. Tu dois transformer chaque occasion en but pour concrétiser le travail de tes équipiers. Sinon, tu perds très vite ta confiance et celle de ton entraîneur.

Il n'existe pas de portrait-robot du parfait avant-centre et l'histoire du football a prouvé que des joueurs au style très différent pouvaient rentrer dans la légende des numéros 9. À toi donc d'imposer ton style.
Tu peux être un renard de surface, rôdant à l'affût de la moindre erreur, capable de transformer en but le seul ballon perdu par la défense pendant quatre-vingt-dix minutes. Tu peux aussi miser sur ta vitesse, ta puissance ou encore la qualité de ton dribble. Tu n'es pas devenu avant-centre, tu es né avant-centre car le sens du but est inné et ne s'apprend pas dans les centres de formation. Dès la cour de récréation, les jeux sont faits. En tant que buteur, tu ne fais jamais de passe et beaucoup te considèrent comme un vrai égoïste. Tu tires, tu tires et tu tires. Alors il vaut mieux marquer le plus souvent possible !
Pendant les matchs, tu t'appuies parfois sur d'autres attaquants qui brillent dans un troisième rôle, plus généreux. Jouant le plus souvent dos au but, en pivot, ils te renvoient les ballons qu'ils reçoivent alors que tu es mieux placé qu'eux.

La **bicyclette** s'effectue dos au but afin de prendre le gardien par surprise. C'est l'une des frappes les plus difficiles à réussir car il faut lancer la jambe en arrière, viser sans regarder et se réceptionner en tombant en arrière. Le premier joueur à effectuer cette technique fut le Brésilien Leonidas en 1930.

Top 5
Pelé
Eusebio
Marco Van Basten
Samuel Etoo
Gerd Müller

Les clubs européens ont une prédilection pour les extraordinaires attaquants africains tels

Neuf et demi ?
Certains joueurs jouent à la fois le rôle de milieu de terrain organisateur et de buteur. Les plus célèbres d'entre eux sont l'Argentin Diego Maradona, le Français Michel Platini ou encore le Brésilien Kaká.

L'attaquant turc **Hakan Sükür** est un rapide : lors de la Coupe du monde 2002, il a marqué un but contre la Corée du Sud après 11 secondes de jeu ! Record à battre.

Les attaquants sont souvent les joueurs les plus rapides. L'Ukrainien **Oleg Blokhine** était un génie technique et courrait le 100 m en 10 secondes !

que le Camerounais **Roger Milla** ou l'Ivoirien Didier Drogba.

24 L'APPRENTISSAGE

La route pour devenir footballeur professionnel est longue et il y a peu d'élus. Heureusement, il y a parfois des chemins de traverses pour y arriver. Sinon, il faut penser à la reconversion !

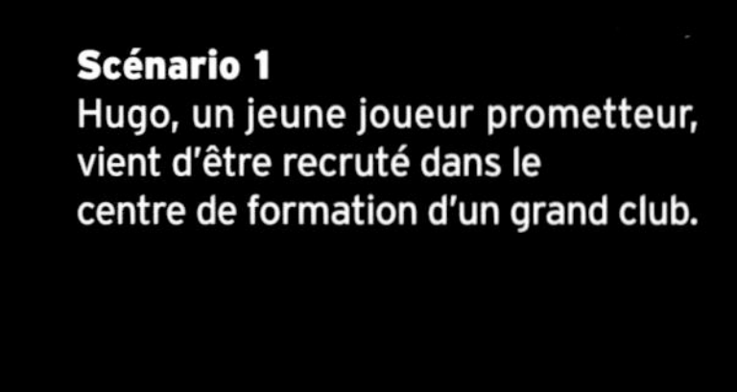

Scénario 1
Hugo, un jeune joueur prometteur, vient d'être recruté dans le centre de formation d'un grand club.

Pendant plusieurs années, Hugo s'entraîne mais il étudie aussi et passe régulièrement des tests physiques. Si l'entraîneur estime qu'il a atteint un niveau suffisant, il intègrera l'équipe professionnelle. Mais ce n'est pas toujours le cas.

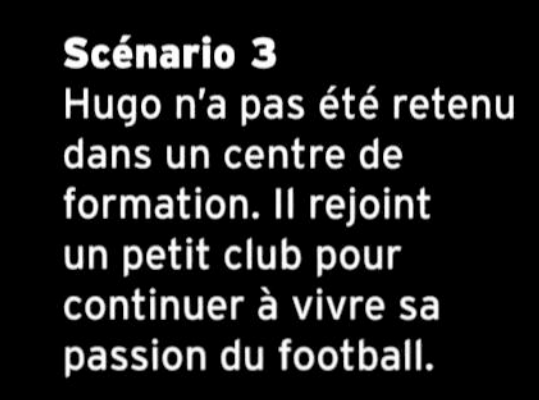

Scénario 3
Hugo n'a pas été retenu dans un centre de formation. Il rejoint un petit club pour continuer à vivre sa passion du football.

Le centre de formation de Barcelone a osé recruter **Lionel Messi** malgré sa petite taille.

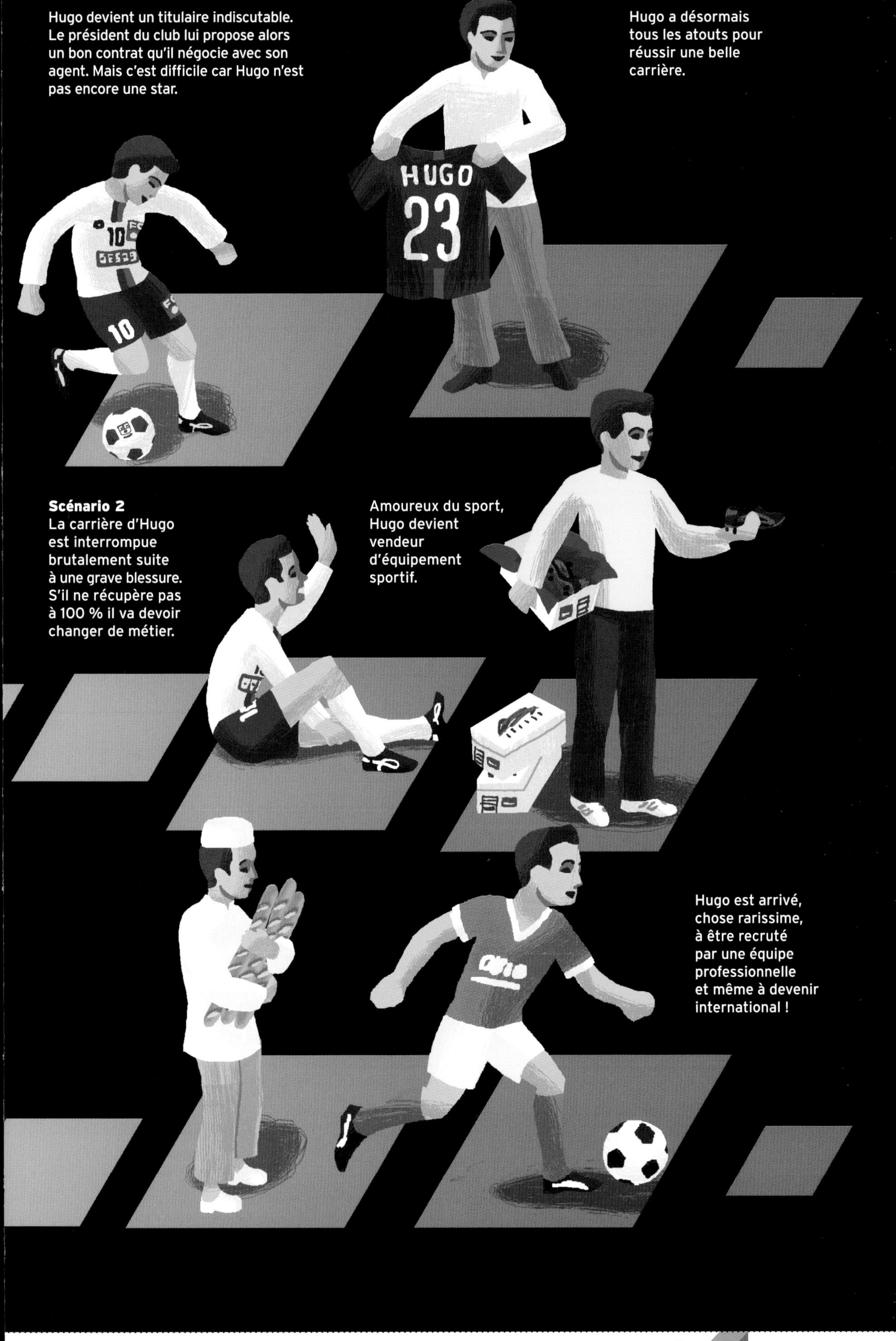

Aujourd'hui il ne regrette pas ce pari audacieux. → 34

PROFESSION : STAR

Réussir une belle carrière n'est pas donné à tout le monde. Il est indispensable d'avoir du talent mais cela ne suffit pas. Il faut rester sérieux et avoir la chance d'éviter les blessures !

Hugo vient de signer son premier contrat pro. Maintenant, il doit gagner sa place dans l'équipe.

Les débuts sont difficiles. Il joue à la même place que Paul, capitaine de l'équipe et copa du président. Forcément, il est toujours remplaçant !

Mais il y a aussi des bons côtés, il gagne beaucoup d'argent et sort tous les soirs.

Évidemment sur le terrain, ça se ressent, il est beaucoup moins bon. Il décide donc d'adopter une vie plus équilibrée.

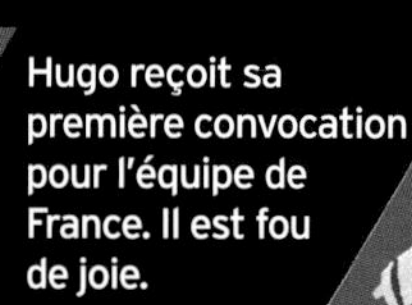

Hugo reçoit sa première convocation pour l'équipe de France. Il est fou de joie.

Manque de chance, il se blesse juste avant. Fracture du tibia. Sa carrière est peut être terminée.

Le **médecin** peut avoir un rôle déterminant dans la carrière d'un footballeur car s'il est blessé c'est la qualité des soins

qui déterminera s'il pourra rejouer ou pas.

→ 34

TACTIQUE CATENNACCIO

26

LE CADENAS ITALIEN

Né en France dans les années 1920, perfectionné en Suisse dix ans plus tard, ce système s'impose dans le monde du football vers 1960. Il repose sur une défense de fer et une science aiguë de la contre-attaque.

Ce schéma tactique a été ciselé à la perfection par l'entraîneur Helenio Herrera pour son équipe de l'Inter de Milan. Les équipes adeptes du catennaccio alignent cinq défenseurs, deux milieux de terrain défensifs, deux milieux de terrains offensifs sur les ailes et un seul véritable attaquant de pointe. Un des cinq défenseurs est un arrière de réserve qui n'a pas d'adversaire spécifique à surveiller. C'est le libero, l'homme libre. De plus, dans le système de Herrera, les défenseurs latéraux sont utilisés pour la première fois comme des joueurs de couloir modernes, apportant un appui à l'attaque. Car le principe du catennaccio n'est pas uniquement de détruire les attaques adverses, il s'agit de récupérer le ballon et de contre-attaquer systématiquement.

Sous l'autorité d'Herrera, l'Inter remporte trois titres de champion d'Italie, deux titres de champion d'Europe, et deux titres de Coupe du monde des clubs (1964 et 1965).

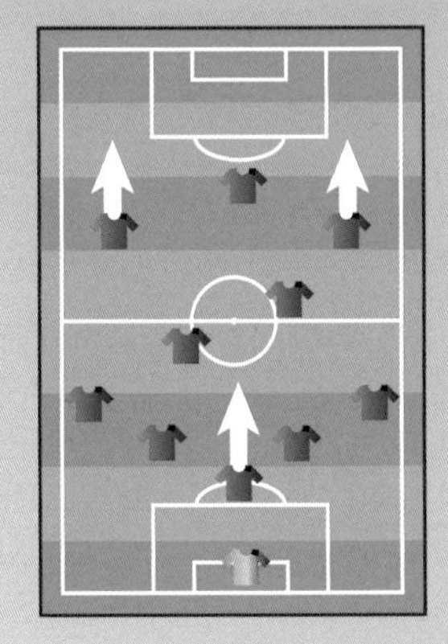

Les **arrières** gauche et droite n'hésitent pas à filer le long de la ligne de touche pour contre-attaquer. L'attaquant qu'il surveillait les suit pour les gêner. C'est lui qui devient défenseur !

Le **libero** joue un rôle majeur en cas d'attaque adverse car il peut colmater les brèches, intercepter les passes, aider un de ses partenaires en difficulté. Il est libre comme l'air !

Ce style défensif n'a pas empêché l'Italie d'être finaliste de la Coupe du monde en **1970.**→

L'ARME FATALE

Les bonnes chaussures ne font pas les bons joueurs mais elles peuvent y contribuer ! D'autant plus que les fabricants rivalisent de génie pour améliorer leurs produits.

Les chaussures à crampons ne sont pas des équipements obligatoires mais tous les joueurs en portent. L'arbitre doit vérifier qu'ils ne soient pas aiguisés, pointus ou dangereux pour les adversaires et peut demander que les chaussures soient changées.

Placés sur le devant de la chaussure, des petits panneaux de mousse facilitent grandement les contrôles et les amortis.

Les finitions sur les cotés permettent de donner plus d'effets au ballon.

Sur un terrain sec, le joueur choisira des semelles comptant 12 à 18 crampons moulés ronds ou en lamelles. Sur un terrain gras, les chaussures à 6 crampons vissés en aluminium sont les plus adaptées. Les deux de devant sont plus longs pour mieux accrocher le sol et ne pas glisser.

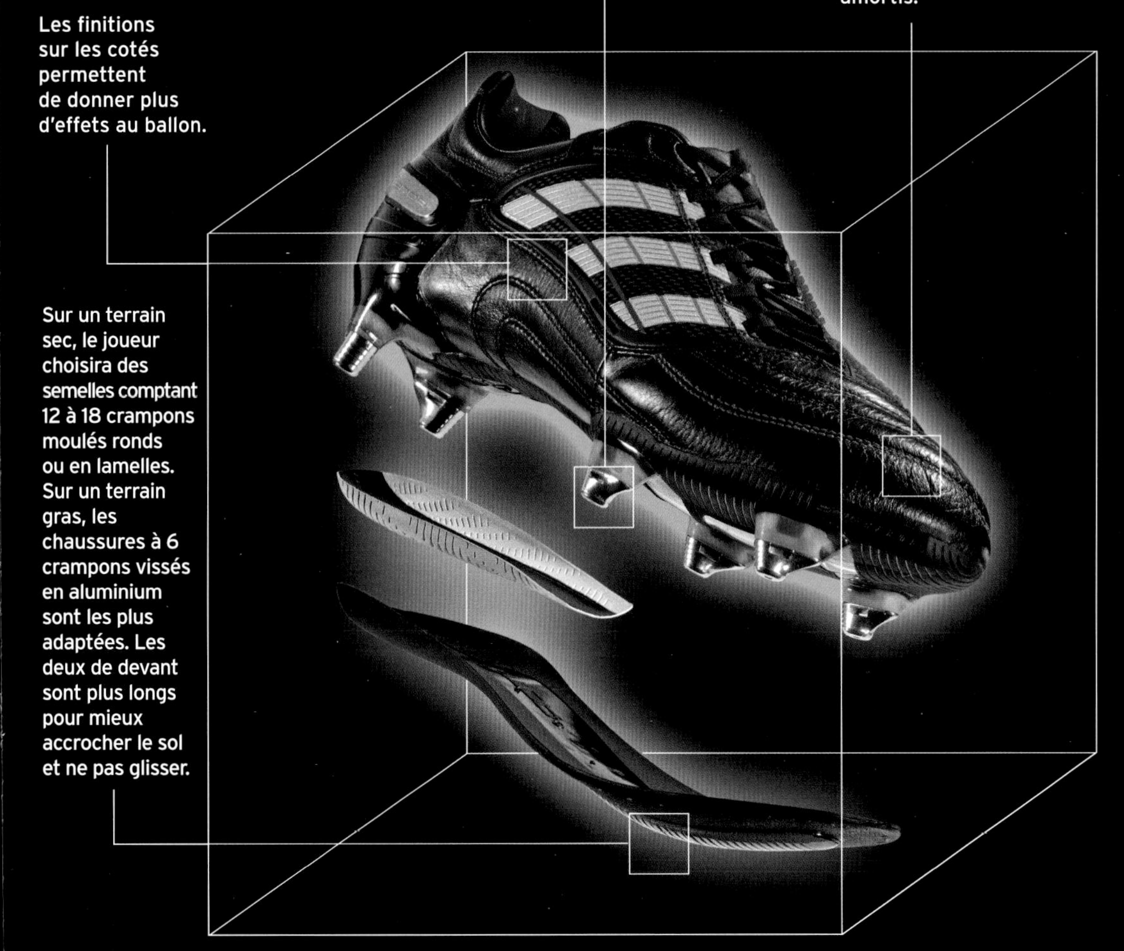

Les chaussures étaient à l'origine des **bottines** normales auxquelles on attachait des crampons. Elles étaient munies d'une coquille en acier à l'avant et pesaient près de 550 grammes chacune !

Les chaussures du XXIe siècle sont légères, flexibles et enveloppent le pied du joueur comme une seconde peau. De nombreuses chaussures en cuir sont aujourd'hui fabriquées en **peau** de kangourou.

Les premières chaussures munies de **crampons** sont apparues sur le marché vers 1925. Au fur et à mesure, leur poids diminue et leur technologie augmente. Certaines pèsent aujourd'hui moins de 200 grammes !

Lors de la Coupe du monde 1954, **Adi Dassler** (dont le nom va inspirer celui de sa marque « Adidas ») propose à l'équipe d'Allemagne les premiers modèles de chaussures à crampons vissés de l'histoire. Coup gagnant. Les Allemands remportent la finale contre les Hongrois, à la surprise générale.

À l'époque du **premier club brésilien**, les joueurs voulaient jouer sans chaussures. →

LE KAISER

Le plus grand footballeur allemand de tous les temps a donné ses lettres de noblesse au rôle de défenseur.

Attaquant puis milieu du terrain, Franz Beckenbauer est le plus grand libero de l'histoire aussi bien pour ses qualités défensives que pour son sens impérial du jeu long et de la contre-attaque. Sous le règne de son « empereur » bavarois, le football germanique domine le monde dans les années 1970. Sous l'autorité de l'élégant Franz, l'équipe du Bayern de Munich remporte trois Ligues des champions (1974-1976), et celle d'Allemagne la Coupe du monde en 1974. Capitaine dans toutes les équipes où il a joué, Beckenbauer est devenu après sa carrière de joueur l'influent président du Bayern de Munich et, un temps, le sélectionneur de l'équipe d'Allemagne.

FRANZ BECKENBAUER

Date de naissance
11 septembre 1945 à Munich

Poste
milieu défensif puis libero

Principaux clubs
Bayern de Munich, Cosmos de New York

Palmarès
double Ballon d'or (1972 et 1976), il remporte la Coupe du monde en 1974 comme joueur et en 1990 comme entraîneur.

Équipe d'Allemagne
103 sélections

Franz Beckenbauer termine sa carrière comme **entraîneur** et remporte la Coupe du monde. → 30

29 UN MATCH DE TITANS

En demi-finale de la Coupe du monde organisée au Mexique, la Squadra Azzura, championne d'Europe en titre, est opposée à la Mannschaft, finaliste de la dernière Coupe du monde.

Écrasées par la chaleur étouffante, les deux équipes offrent un spectacle extraordinaire aux 100 000 spectateurs du tout nouveau stade Azteca de Mexico. Dès la 8e minute, Roberto Boninsegna crucifie le gardien allemand Sepp Maier et ouvre le score. L'Italie met en œuvre son célèbre jeu défensif que les joueurs de la RFA ne parviennent pas à percer. L'Italie semble se diriger vers la finale quand les Allemands égalisent à la dernière minute. C'est le début des prolongations les plus folles de l'histoire du football. Müller marque pour les Allemands à la 95e minute avant que Tarcisio Burgnich n'égalise 4 minutes plus tard. Gigi Riva redonne l'avantage aux Italiens à la 104e minute. Müller se jette sur le ballon à la 110e minute et égalise. Sur l'engagement, Rivera marque le cinquième but de la prolongation (111'). Le but de la victoire. Les Azzuri remportèrent le match (4-3). Au coup de sifflet final, les joueurs des deux équipes s'écroulent sur la pelouse et se tombent dans les bras. Les 26 acteurs entrent à jamais dans l'histoire du football.

Fauché par un défenseur italien à la 67e minute, **Franz Beckenbauer** reste au sol, l'épaule droite démise. Les deux changements autorisés alors ayant déjà été effectués, le Munichois revient sur le terrain, le bras en écharpe.

Malgré la présence de nombreux joueurs du **Bayern de Munich** cela n'a pas suffi. →

POSTE ENTRAÎNEUR

30 LE MENEUR D'HOMME

Responsable tactique, technique et physique de ton équipe, tu sembles tout puissant mais, en cas de défaite, ton banc de touche devient très vite un siège éjectable.

Ancien joueur professionnel, tu viens d'être nommé dans l'un des plus grands clubs d'Europe pour y accomplir la dure tâche d'entraîneur. La pression sur tes épaules est énorme. Homme à tout faire, tu es à la fois un stratège, un psychologue et un chef d'orchestre. Tu diriges les séances d'entraînement avec tes adjoints, composes l'équipe et changes les joueurs en fonction de l'évolution du match. Ce n'est pas toujours facile de remplacer, en cours de partie, la star de l'équipe mais tu n'hésites pas s'il ne respecte pas les consignes données. En dehors des matchs et des entraînements, tu es aussi responsable des transferts et tu occupes une place influente de conseiller auprès du président. Mais si tu fais acheter des joueurs qui ne donnent pas satisfaction, gare à toi, tu pourrais repartir avec eux. Parfois, tu aimerais changer de job mais pas pour te reposer. Tu rêves de devenir sélectionneur d'une équipe nationale et de gagner la Coupe du monde.

L'Italien **Vittorio Pozzo** est le premier entraîneur à gagner deux coupes du monde (1934 et 1938). Et ce n'est pas tout : entre les deux tournois, il a remporté la médaille d'or au JO de Berlin (1936).

Joueur, entraîneur et vainqueur ! Vainqueur de la Coupe du monde comme joueur en 1958 et 1962, le Brésilien Mario Zagalo a été le premier à remporter aussi le titre comme entraîneur en 1970.

◀ L'entraîneur gère les entraînements physiques auxquels il ne se rend jamais sans son sifflet et son chronomètre.

Généralement, l'entraîneur travaille en relation constante avec le **président**. →

TACTIQUE FOOTBALL TOTAL

31 ORANGES MÉCANIQUES

Dans cette tactique spectaculaire qui apparaît au début des années 1970, tout le monde attaque et tout le monde défend.

Portée au sommet par l'Ajax d'Amsterdam et l'équipe des Pays-Bas, cette tactique tournée vers l'offensive est aussi simple qu'exigeante. Les joueurs doivent toujours être en mouvement pour offrir des solutions à leurs coéquipiers, ce qui implique une intelligence de jeu et des qualités physiques exceptionnelles. Quand ils pénètrent sur le terrain, les joueurs se placent en 4-3-3 (4 arrières, 3 milieux, 3 attaquants) pour bien occuper le terrain. Mais, dès que le match commence, le numéro 9 peut se retrouver en défense sur une action et l'un des défenseurs filer en attaque. Les arrières latéraux jouent notamment un rôle capital en effectuant des appels incessants dans le sens de la longueur du terrain, le long de la ligne de touche.

Véritable relais de l'entraîneur sur la pelouse, **Johann Cruyff** est le chef d'orchestre de ce « football total » qu'il exportera avec succès au FC Barcelone. Le club espagnol devient même le symbole de ce système tactique créatif, collectif et terriblement attractif.

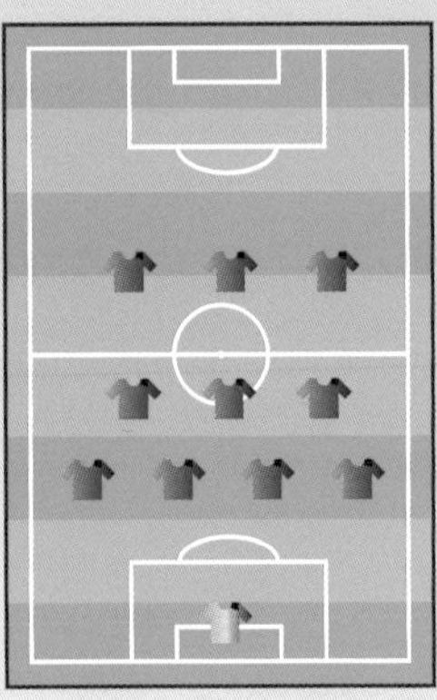

Dans ce système de jeu, les arrières sont des joueurs très techniques et sont capables de dribbler les attaquants adverses à la moindre occasion. Et les attaquants savent tacler s'il le faut pour récupérer le ballon.

Le **FC Barcelone** est devenu un maître absolu du « football total ». → 55

32

LE GUERRIER DU NORD

Fondé en 1900, le club batave doit son nom au héros de la guerre de Troyes avec qui il partage des valeurs de vaillance, de courage et de puissance.

Véritables Brésiliens d'Europe, les joueurs au maillot blanc et rouge dominent le continent au début des années 1970 avec un jeu porté vers l'offensive. En 1969, l'Ajax devient la première équipe néerlandaise à atteindre la finale de la Coupe d'Europe des clubs champions. Son jeu est révolutionnaire : selon la situation, toute l'équipe attaque ou toute l'équipe défend ! Emmené par son maître à jouer Johann Cruyff, le club néerlandais remporte trois titres de champion d'Europe consécutifs (1971, 1972 et 1973). La victoire de 1972 est symbolique : avec son football offensif, l'Ajax détruit le football défensif de l'Inter, roi du catennacio. Johann Cruyff n'est pas seul. Le flamboyant numéro 14 est aidé par de nombreuses stars comme Arie Haan, Johan Neeskens, Johnny Rep ou Ruud Krol, titulaires indiscutables de l'équipe des Pays-Bas, finaliste de la Coupe du monde 1974. Extraordinaire centre de formation, l'Ajax brille encore en Europe mais ses meilleurs éléments comme Frank Rijkaard, Dennis Bergkamp, Patrick Kluivert, Edgar Davids ou Clarence Seedorf le quittent pour rejoindre de grands clubs européens.

Le gardien de but Hein Stuy et Johann Cruyff en 1973.

L'équipe de l'Ajax Amsterdam fut victorieuse de la Ligue des Champions 1995.

Au début des années 1970, la tactique offensive de l'Ajax a vaincu le **catennaccio.**

→ 26

33

LE HOLLANDAIS VOLANT

Leader né, attaquant génial, il invente le « football total » avec l'Ajax d'Amsterdam puis avec le FC Barcelone.

Buteur et meneur de jeu imprévisible, Johann Cruyff possède une aisance technique qui passe souvent aux yeux de ses adversaires pour de l'arrogance. Mais quel artiste. Meilleur joueur offensif européen dans les années 1970, il remporte trois Coupes d'Europe consécutives avec son club formateur, l'Ajax d'Amsterdam. Recruté à prix d'or, il met le cap sur l'Espagne et le FC Barcelone où il brille de mille feux. La Coupe du monde 1974 est le théâtre de ses exploits les plus fabuleux. Malgré la défaite des Pays-Bas en finale, il marque la compétition de l'empreinte de son numéro 14. Devenu entraîneur du FC Barcelone, il prône toujours le football offensif et spectaculaire qu'il pratiquait sur le terrain.

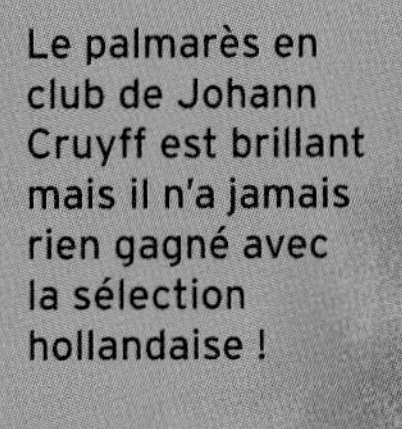

Le palmarès en club de Johann Cruyff est brillant mais il n'a jamais rien gagné avec la sélection hollandaise !

JOHANN CRUYFF

Date de naissance
25 avril 1947 à Amsterdam (Pays-Bas)

Poste
milieu offensif

Principaux clubs
Ajax d'Amsterdam (1964-1973 et 1981-1983), FC Barcelone (1973-1978)

Palmarès
premier joueur à remporter trois fois le Ballon d'or

Équipe des Pays-Bas
48 sélections et 33 buts

Prince du « **football total** », la star hollandaise prône toujours une tactique offensive. →

34

ALLÔ, DOCTEUR BOBO

Tu es le collaborateur privilégié de l'entraîneur, et dois veiller sur la santé et le corps des footballeurs. Heureusement, tu es bien entouré par ton équipe médical.

Passionné par le sport et la médecine, tu as longtemps exercé à l'hôpital avant de pouvoir concilier tes deux passions. Grâce à un de tes amis qui est devenu président d'une équipe professionnelle, tu es maintenant le médecin en chef du club de foot ! C'est une sacrée responsabilité. Tu fais passer des tests aux futures recrues pour vérifier leur santé avant qu'ils signent leur contrat. Au cours de la saison, tu mets en place, avec le préparateur physique, des exercices pour que les joueurs soient toujours en pleine forme. Si l'un d'entre eux se blesse, c'est à toi de le remettre sur pied le plus rapidement possible. Pour t'assister, tu es aidé par le kinésithérapeute qui veille particulièrement sur les muscles et les articulations, mais aussi par le nutritionniste, qui adapte les repas aux besoins de chaque joueur. Tout est mis en œuvre pour faire gagner l'équipe, tout sauf la délivrance de médicament non autorisé. C'est du dopage.

Certains joueurs stars ont des médecins ou des kinés personnels qui veillent sur leur santé en permanence.

Un coup d'**éponge** et ça repart ? Difficile d'imaginer comment un coup d'éponge peut rétablir un blessé, mais cela fait partie du folklore du football... À présent on utilise des poches de glace et des bombes qui pulvérisent du froid. Dans certaines rencontres amateurs l'éponge est encore utilisée.

Les équipes nationales ont aussi un service médical qui accompagne l'équipe lors des grandes compétitions comme la Coupe du monde.

Lorsqu'un joueur est blessé, on lui laisse un peu de temps pour se relever. Il faut qu'il soit vraiment mal en point pour être évacué sur un **brancard**.

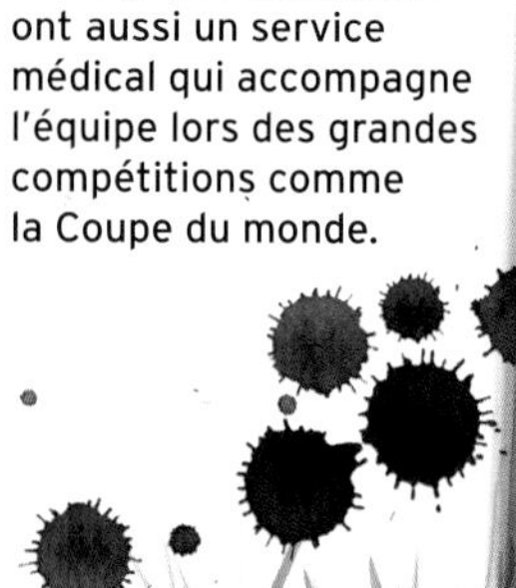

Les grands **stades** sont équipés pour soigner les blessures graves en urgence. → 12

BEAUX COMME DES PRINCES

Rayures, poix, carreaux, tricolore, uni, tous les motifs et toutes les couleurs ont leur place sur la planète foot. Short, maillot et chaussettes sont les habits de lumière des gladiateurs des stades.

La publicité sur les maillots est apparue pour la première fois sur les maillots du club urugayen de Penarol dans les années cinquante. Mais certains joueurs refusaient de les porter !

À la fin du XIXe siècle, les joueurs étaient équipés de pantalon rentré dans des chaussettes montantes. Les protège-tibias étaient portés au-dessus du pantalon.

Les joueurs ont pris l'habitude d'échanger leur maillot à l'issue des grands matchs. Cette tradition est née le 14 mai 1931 après une victoire inespérée de la France contre l'Angleterre (5-2). À la fin du match, les Français étaient si heureux qu'ils ont demandé aux joueurs anglais d'échanger les maillots afin de conserver un souvenir de cette mémorable victoire.

Contrairement aux chaussures, la **forme** des vêtements des joueurs de football n'a pas beaucoup évolué depuis le début du XXe siècle. Seules quelques différences mineures ont été apportées à la coupe des maillots avec en particulier la disparition des boutons ou des lacets au niveau du col.

En revanche, la **matière** n'a plus rien à voir avec les premières tenues des pionniers de ce sport. Les épaisses tuniques en laine a laissé la place au coton vers 1910 puis aux fibres synthétiques à partir de 1960. Depuis peu, les fabricants ont mis au point des maillots très moulants. Résultat : les défenseurs ont beaucoup plus de mal à agripper leur adversaire quand il s'échappe au but !

Certains joueurs avaient l'habitude de porter leur maillot d'une manière différente de celle de leurs coéquipiers. Le Hollandais Johann Cruyff, l'Irlandais Georges Best et le Français Michel Platini aimaient laisser pendre leur chemise hors du short, une habitude aujourd'hui interdite. Éric Cantona relevait toujours son col avant de commencer le match.

Les maillots portent parfois un blason : celui de l'**Ajax** représente le héros grec. → 32

36 LA PUISSANCE BAVAROISE

Fierté de la Bundesliga, le Bayern, fondé en 1900, est le plus titré des clubs allemands et l'un des plus influents du continent européen.

Surnommé le FC Hollywood à cause des caprices de stars de ses joueurs, le Bayern vit longtemps dans l'ombre du TSV Munich 1860 avant de prendre le dessus sur son rival à la fin des années 1960. Emmenée par le trio d'exception composé du gardien Sepp Maier, du bombardier Gerd Müller et du capitaine emblématique Franz Beckenbauer, l'équipe au maillot rouge connaît alors un véritable âge d'or. Entre 1968 et 1976, le Bayern remporte quatre titres de champion d'Allemagne, deux Coupes d'Allemagne, trois Coupes d'Europe des clubs champions (1974, 1975 et 1976) et une Coupe intercontinentale (1976). Les Bavarois continuent à collectionner les titres nationaux, mais ils doivent attendre 1996 pour renouer avec le succès sur la scène européenne. En 1996, ils remportent la Coupe de l'UEFA contre les Girondins de Bordeaux puis la Ligue des champions face à Valence en 2001. Dirigé par ses anciennes stars emblématiques, Franz Beckenbauer, Uli Hoeness et Karl-Heinz Rummenigge, le club munichois est solidement ancré au sommet de l'Europe.

Le gardien de but, **Olivier Kahn**, joua 633 matchs en l'espace de 14 ans (1994-2008) au sein du Bayern.

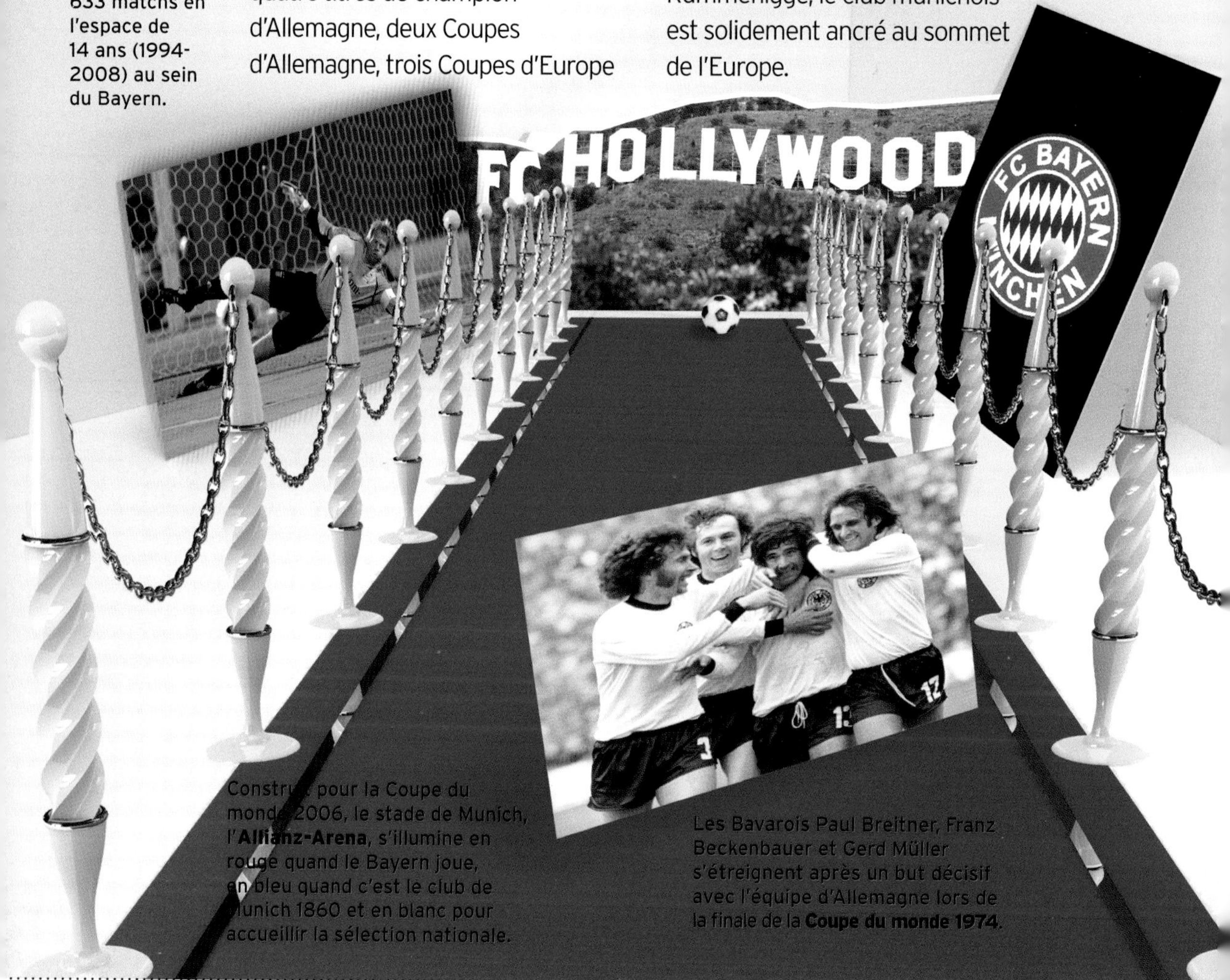

Construit pour la Coupe du monde 2006, le stade de Munich, l'**Allianz-Arena**, s'illumine en rouge quand le Bayern joue, en bleu quand c'est le club de Munich 1860 et en blanc pour accueillir la sélection nationale.

Les Bavarois Paul Breitner, Franz Beckenbauer et Gerd Müller s'étreignent après un but décisif avec l'équipe d'Allemagne lors de la finale de la **Coupe du monde 1974**.

Le Bayern a gagné la finale de coupe d'UEFA contre le Bordeaux de **Zidane** en 1996. → 52

CHEF D'ÉTAT-MAJOR

En tant que président de club, tu as les mêmes objectifs qu'un chef d'entreprise. Tu dois veiller à la bonne marche sportive du club mais aussi à sa santé financière, les deux étant liées.

Parfois, tu es un homme d'affaires ou un entrepreneur qui s'est offert un club à coup de centaines de millions d'euros. Dans ce cas, tu es le patron tout puissant. D'autres fois, tu es un habile négociateur, un homme de confiance choisi par les actionnaires du club pour tes compétences et tu dois leur rendre des comptes. Quelle que soit ta situation, tu disposes toujours de larges pouvoirs au sein du club. Tu lèves des fonds pour construire le centre d'entraînement de tes joueurs et pour moderniser le stade où le club reçoit les équipes adverses, tu choisis les joueurs payés à prix d'or et engage l'entraîneur avec qui tu composes les équipes pour les matchs. Certains soirs, tu parades en tribune officielle avec le maire de la ville et quelques stars. Mais réussir une carrière de président n'est pas si facile. Fais attention de ne pas perdre ta chemise dans cette aventure pour le moins hasardeuse.

Certains présidents sont devenus des légendes comme **Santiago Bernabeu**, le président mythique du Real Madrid dont le stade porte aujourd'hui son nom.

Plusieurs anciens joueurs sont devenus président de leur club comme **Giancinto Facchetti** à l'Inter.

Depuis **1863**, ce sont les présidents qui gèrent le business des clubs.

→ 01

CLUB COSMOS DE NEW YORK

38

LE GRAND SHOW

À grands coups de dollars, ce club « paillettes » parvient à attirer les plus célèbres joueurs du monde. Objectif : populariser le ballon rond au pays du football américain.

Fondé en 1971, le club de New York a été l'une des expériences les plus extraordinaires du football moderne. Pour tenter de concurrencer les grands sports populaires comme le base-ball, le basket et le football américain, les créateurs du club engagent des stars du football mondial comme l'Allemand Franz Beckenbauer, le Brésilien Carlos Alberto ou le Néerlandais Johan Neeskens au crépuscule de leur carrière. Mais c'est le recrutement du roi Pelé qui va susciter un engouement populaire sans précédent pour le soccer. La greffe ne va pas prendre longtemps au royaume du sport business. Les pratiquants sont peu nombreux, les télévisions refusent de transmettre les matchs où les temps morts, indispensables pour la diffusion de la publicité, sont inexistants. Le Cosmos disparaît en 1985 mais le soccer résiste. Neuf ans plus tard, la Coupe du monde est organisée pour la première fois aux États-Unis.

Les stars étaient si nombreuses que l'entente dans les vestiaires étaient parfois très compliquée. Certains ne supportaient pas la présence de joueurs plus célèbres qu'eux !

Le premier sacre olympique du football africain a lieu aux États-Unis, aux jeux d'Atlanta (**1996**). →

39

DATE 8 JUILLET 1982 : DEMI-FINALE FRANCE-ALLEMAGNE

SUR LE RING !

Ce match mythique oppose deux conceptions du football : élégance, romantisme et vista français contre solidité, détermination et esprit de combat germaniques.

À la fin du match, les Tricolores s'écroulent, abattus, au sol. « Ils pleuraient dans le vestiaire comme des enfants », déclare leur entraîneur Michel Hidalgo.

Après un round d'observation, l'Allemand Pierre Littbarski ouvre la marque à la 18e minute. Michel Platini, le capitaine français, remet les équipes à égalité (1 à 1) sur penalty à la 26e minute. Les Bleus dominent le jeu. Patrick Battiston file seul vers le but allemand. Toni Schumacher sort de sa surface comme un boulet de canon et blesse gravement le Français sans que l'arbitre ne donne ni coup franc, ni carton au portier allemand. Le match devient légende.

Une prolongation mythique

Après deux minutes, Marius Trésor permet aux Bleus de prendre l'avantage d'une extraordinaire volée. Sept minutes plus tard, Alain Giresse marque le but du 3 à 1 qui semble sceller la qualification. Mais les Allemands ne renoncent jamais. Karl-Heinz Rummenigge permet à la RFA de revenir au score (2 à 3) puis Klaus Fischer égalise d'une magnifique bicyclette. Les tirs au but décideront du sort de la rencontre. Les Français doivent s'avouer vaincus. Sur un tir du géant Horst Hrubesch, la RFA accède à la finale.

Platini échoue deux fois en demi-finale de Coupe du monde contre l'Allemagne (82 et 86). → 40

SIMPLEMENT GÉNIAL

Stratège virtuose, le Français est un meneur de jeu aux gestes si purs qu'ils sont inégalables.

Le médecin du FC Metz était pourtant formel : « Ce gamin n'a aucune chance de devenir un footballeur professionnel. Il n'a pas assez de souffle. » Un diagnostic un peu rapide qui permet au club de l'AS Nancy-Lorraine, le rival régional, d'engager le meilleur joueur du football français depuis le grand Raymond Kopa. Bien sûr, il n'est jamais devenu un athlète exceptionnel mais sa vision du jeu était lumineuse. Très vite, Michel Platini s'impose comme l'indiscutable capitaine de l'équipe de France. « Même ses pieds sont intelligents », affirmait alors le sélectionneur Michel Hidalgo. Avec ce joueur d'exception, les Bleus renaissent après vingt ans de vaches maigres. Meilleur joueur du Championnat d'Italie avec la prestigieuse Juventus de Turin, star planétaire, Michel Platini est au sommet de son art au début des années 1980. Sa progression est parfaite. « J'ai d'abord joué dans le plus grand club de Lorraine, puis dans le plus grand club de France, enfin dans le plus grand club du monde », aime-t-il déclarer. Grâce à son fabuleux chef de bande, l'équipe de France brille enfin en Coupe du monde et remporte le Championnat d'Europe des nations en 1984, son premier titre majeur. Meilleur joueur de la compétition qu'il illumine de sa classe, Michel Platini en est aussi le meilleur buteur : il marque neuf buts en cinq matchs !

Michel Platini a joué la finale Liverpool-Juventus au stade du Heysel en **1985** après le dramatique

Sous les ordres de ce maître tacticien, le club lombard remporte successivement le titre italien en 87/88, deux Coupes d'Europe des clubs champions en 89 et 90, deux Supercoupes d'Europe en 89 et 90, deux Coupes intercontinentales 90 et 91, une Coupe d'Italie en 89 et une Supercoupe d'Italie en 89 !

MICHEL PLATINI

Date de naissance
21 juin 1955 à Joeuf (France)

Poste
milieu offensif

Principaux clubs
Nancy (1972-1979), Saint-Étienne (1979-1982), Juventus (1982-1987)

Palmarès
roi des coups francs, meilleur buteur d'Italie, triple Ballon d'or en 1983, 1984 et 1985 et même président de l'UEFA depuis 2007 !

Équipe du France
72 sélections et 41 buts

effondrement des gradins et remporta le match grâce à un penalty. →

DE BONNES AFFAIRES !

Avec la boxe et le cyclisme, le football a été l'un des premiers sports professionnels dès la fin du XIXe siècle. Mais personne n'imaginait à l'époque que l'argent allait prendre une telle place.

Les présidents dirigent leur **club** comme une entreprise avec la volonté de gagner le plus d'argent possible. Certains forment des jeunes joueurs talentueux pour les vendre à des clubs plus riches. D'autres recrutent les meilleurs joueurs de la planète avec deux objectifs : améliorer la compétitivité de l'équipe mais aussi vendre des millions de maillots portant le nom de David Beckham ou de Cristiano Ronaldo.

Les **agents** passent leur temps à proposer leurs joueurs aux présidents ou aux entraîneurs des équipes les plus riches. Et plus ils changent de club, plus ils gagnent de l'argent car ils touchent un pourcentage sur chaque transfert. Ce sont aussi les agents qui négocient les augmentations !

Faute de médiatisation, le football féminin a beaucoup plus de difficultés économiques malgré la création

Les **fabricants** gagnent des fortunes avec leurs jeux vidéo qui s'inspirent du football. Dans certains, il s'agit de jouer comme sur le terrain en contrôlant les footballeurs et dans d'autres, il faut s'occuper des aspects tactiques et économiques d'une équipe. Les jeux les plus populaires sont FIFA Football, Pro Evolution Soccer (PES), Championship Manager et Football Manager.

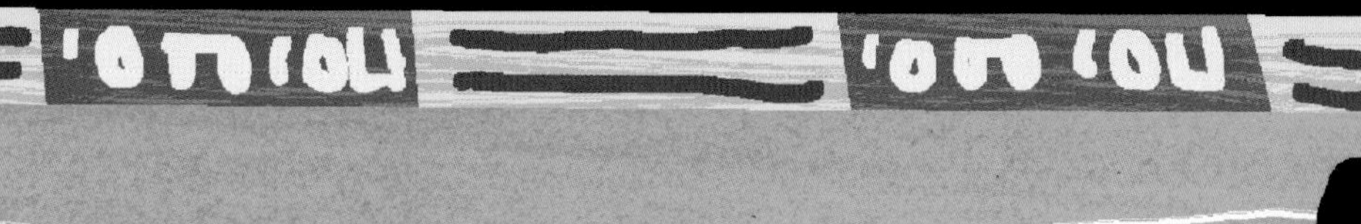

Depuis quelques années, les **paris** de football sur Internet remportent un immense succès. Ceux qui gagnent le plus d'argent sont les organisateurs !

La **FIFA** est aussi une entreprise commerciale très rentable. Lors de la Coupe du monde, elle négocie à prix d'or les droits de diffusion des matchs avec les chaines de télévision du monde entier. Et elle signe des partenariats avec des grandes marques comme Coca-Cola ou Adidas qui paient des fortunes pour être présents sur les panneaux publicitaires !

de la coupe du monde féminine en **1991**.

42 L'AUTRE RÉVOLUTION MILANAISE

Après l'Inter et son catenaccio dans les années 1960, la tactique novatrice du football des années 1980 vient de son rival du Milan AC.

Véritable machine de guerre imaginée par l'entraîneur Arrigho Sacchi, l'équipe du Milan AC est une forteresse qui semble imprenable. Ce succès repose sur une tactique de 4-4-2 (4 arrières, 4 milieux et 2 avants) et sur un jeu en zone. Chaque joueur est responsable d'une partie de terrain prédéfinie, y compris offensivement, et doit accompagner le mouvement de l'équipe, même s'il n'est pas concerné par l'action. De plus, les joueurs milanais s'efforcent toujours de garder la même distance entre eux, au mètre près, et forment un bloc compact difficile à contourner. Un jeu terriblement efficace mais si exigeant qu'il conduit souvent les joueurs au bord de l'épuisement.

Sous les ordres d'Arrigho Sacchi, le cl lombard remporte successivement le titre italien en 1987/1988, deux Coupes d'Europe des clubs champio en 1989 et 1990, deux Supercoupes d'Europe en 1989 et 1990, deux Coup intercontinentales 1990 et 1991, une Coupe d'Italie en 1989 et une Supercoupe d'Italie en 1989 !

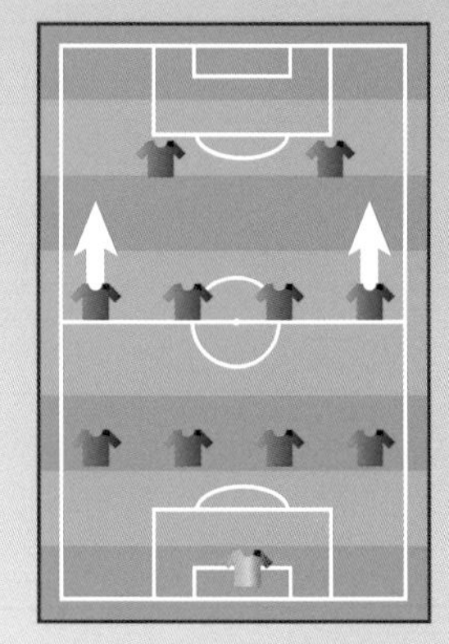

Selon le style recherché et l'équipe adverse, l'entraîneur peut titulariser des milieux de terrains plutôt offensifs ou au contraire des joueurs défensifs. Il peut aussi changer de tactique au cours de la partie en fonction du score.

Cette tactique n'a pas fonctionné contre l'**OM** en finale de la Ligue des champions 1993. →

43 LA MACHINE À GAGNER

Très bien organisé sur et en dehors du terrain, le rival de l'Inter est l'un des clubs les plus puissants du monde.

Fondé en 1899, le club de la capitale lombarde remporte son premier titre de champion d'Italie deux ans plus tard. Son fondateur, Erbert Kilpin, lui donne ses couleurs rouge et noir inspirées par le diable. Célèbres en Europe depuis les années 1950 les Rossoneri comptent dans leurs rangs le Suédois Gunnar Nordhal, le Brésilien José Altafini, l'Uruguayen Juan Schiaffino ou l'élégant Italien Gianni Rivera. Tombé en sommeil au milieu des années 1970, Milan est acheté en 1986 par l'ambitieux Silvio Berlusconi qui veut faire de son club le meilleur du monde. Il engage à prix d'or les plus grandes stars du football mondial. C'est une tornade rouge et noire qui s'abat sur l'Europe : le Milan AC remporte la Ligue des champions en 1989, 1990 et 1994 !

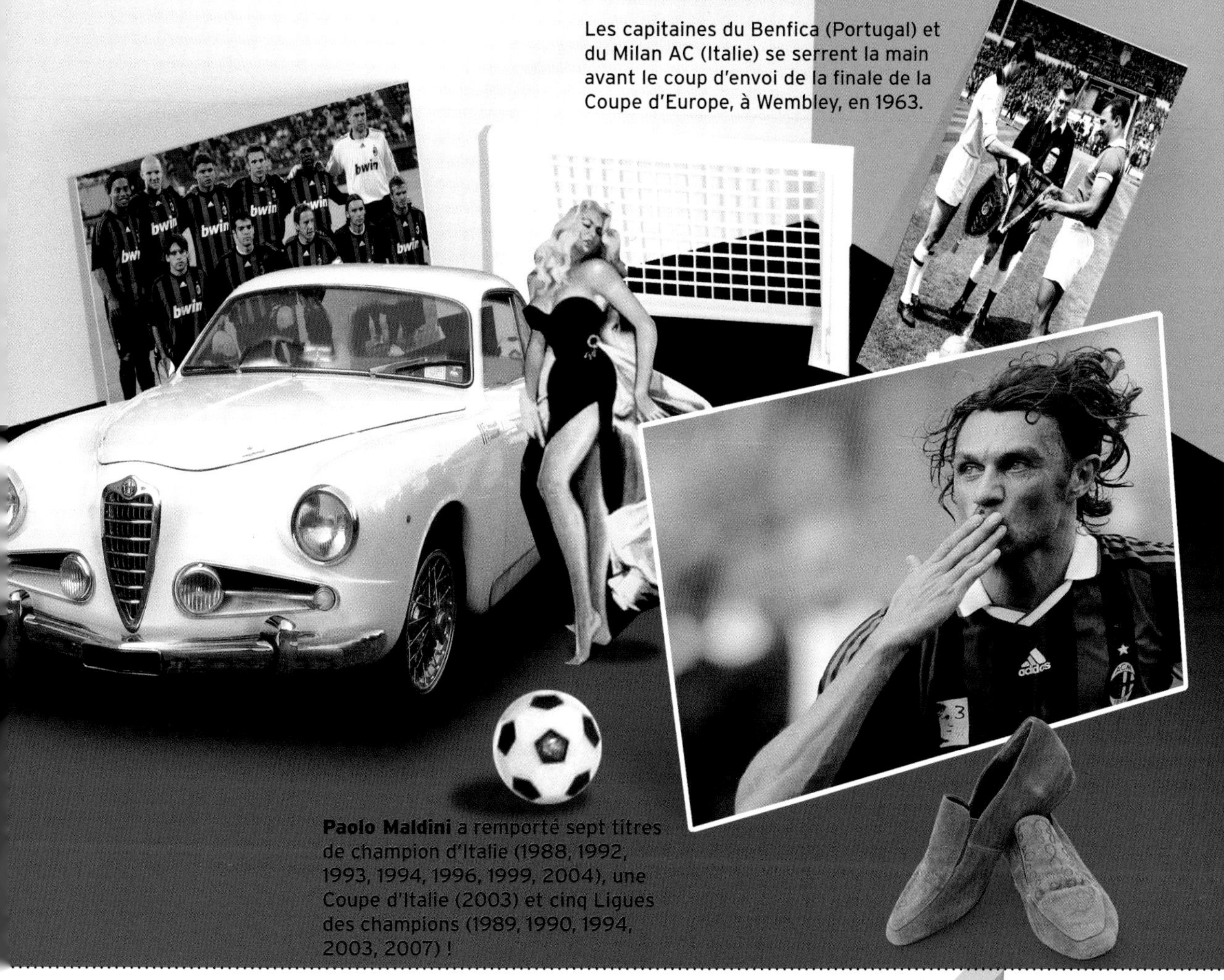

Les capitaines du Benfica (Portugal) et du Milan AC (Italie) se serrent la main avant le coup d'envoi de la finale de la Coupe d'Europe, à Wembley, en 1963.

Paolo Maldini a remporté sept titres de champion d'Italie (1988, 1992, 1993, 1994, 1996, 1999, 2004), une Coupe d'Italie (2003) et cinq Ligues des champions (1989, 1990, 1994, 2003, 2007) !

L'ANGE DÉMONIAQUE

Rebelle et dérangeant, génial et authentique, le mauvais garçon du football ne laisse personne indifférent.

Expert en football, Michel Platini disait de lui : « Diego effectuait des actions que personne ne peut imiter. Il fait avec une orange ce que je fais avec un ballon. » Doté d'un pied gauche unique, équilibriste des pelouses, l'Argentin est un génie et un voyou. Un match peut le symboliser. En quart de finale de la Coupe du monde 1986, lors d'un match capital contre l'Angleterre, il marque son premier but d'une main parfaitement volontaire devant les caméras du monde entier et le second en passant en revue toute la défense adverse ! Avec ce prodige, Naples remporte deux titres italiens et l'Argentine, la Coupe du monde de 1986 avant d'échouer en finale en 1990.

DIEGO MARADONA

Date de naissance
le 30 octobre 1960 à Buenos-Aires (Argentine)

Poste
milieu offensif

Principaux clubs
Argentinos Juniors (1976/1981), Boca Juniors (1981/1982 ; 1995/1997), FC Barcelone (1982/1984), Naples (1984/1991)

Palmarès
reçoit, pour l'ensemble de sa carrière, le premier Ballon d'or décerné à un joueur non européen (1995)

Équipe d'Argentine
91 sélections et 34 buts

Diego Maradona est devenu sélectionneur de l'Argentine pour la Coupe du monde 2010.

Diego Maradona a commencé sa carrière européenne à **Barcelone** entre 1982 et 1984. →

45 UN CLUB POPULAIRE

Longtemps spécialistes de la Coupe de France, les joueurs au maillot blanc restent fidèles à leur devise « Droit au but » pour la plus grande joie du bouillant public phocéen.

Né dans les derniers mois de 1899, l'Olympique de Marseille est le club qui a le plus d'abonnés au stade et de supporteurs en France. Après huit titres de champion et dix Coupes de France, l'apogée du club a lieu le 26 mai 1993. Après avoir échoué en finale deux ans plus tôt, l'OM devient le premier club français vainqueur de la Ligue des champions, la plus prestigieuse compétition de clubs en Europe en battant l'armada du Milan AC emmenée par Maldini et Van Basten. Mais l'équipe préférée du peuple marseillais reste à jamais celle des minots, jeunes joueurs locaux et sauveurs du club en faillite au début des années 1980. Héros des supporteurs olympiens, le fougueux défenseur Éric Di Meco est le seul à avoir participé à ces deux extraordinaires aventures.

En marquant 44 buts avec l'OM en 1971, **Josip Skoblar** est devenu le meilleur buteur de l'histoire du championnat de France. Personne n'a inscrit plus de buts que lui en Europe cette année-là.

L'Olympique de Marseille détient le record des victoires en Coupe de France avec 10 succès.

Les joueurs de légende
Gunnar Andersson
Josip Skoblar
Jean-Pierre Papin
Fabien Barthez
Didier Drogba

« Yankees », « Winner » ou « club central des **supporteurs** », ils soutiennent tous l'OM ! → 47

DATE 29 MAI 1985 : TRAGÉDIE DU HEYSEL

46 LES BARBARES DU STADE

Spectacle populaire, grande fête du sport, les matchs de football se transforment parfois en terribles tragédies par la folie des supporteurs.

Les Reds de Liverpool affrontent en finale de la prestigieuse Coupe des champions, la Juventus de Turin au stade du Heysel de Bruxelles. Avant même le début du match, des hooligans anglais prennent d'assaut une tribune où sont placés de nombreux Italiens. C'est la panique. Les supporteurs effrayés se replient vers l'autre extrémité de la tribune et se ruent vers le bas des gradins. La police belge n'intervient pas. Pire, elle tente d'interdire aux supporteurs agressés de pénétrer sur la pelouse. Le piège est en place. Les grilles de séparation et un muret s'effondrent. Le bilan est terrible. Le coup d'envoi, d'abord repoussé, a lieu par crainte d'une émeute. La tension baisse dès le début du match. La Juventus remporte la partie 1 à 0 grâce à un but de Michel Platini sur penalty.

Les clubs anglais sont suspendus 5 ans de compétitions européennes. **Manchester** remporte la finale de la Coupe

Les **crécelles** n'étant plus autorisées dans les stades depuis les années 1960, les supporteurs chantent à tue-tête et soutiennent leur équipe en faisant sonner les cornes de brume.

Dans des clubs comme le Benfica de Lisbonne, le FC Barcelone ou le Real Madrid, les supporters abonnés, les socios, élisent le président !

Les supporteurs participent à la bonne santé financière des clubs en achetant toute sorte de produits

Bilan : des centaines de blessés et 39 morts dont 34 Italiens, 2 Belges, 2 Français et 1 Irlandais.

À la fin du match, 10 000 tifosi fêtent la victoire dans les rues de Turin.

des coupes 1991, dès leur retour sur la scène européenne.

→ 17

47 POSTE SUPPORTEUR

FIERS DE CHANTER

Difficile de te définir en quelques lignes car entre le simple spectateur et le fervent supporteur il y a tout un monde !

Depuis que tu es petit, tu es passionné de foot et fan du club de ta ville. Dès qu'il y a un match, tu files au stade avec tes copains du groupe des *Winners* pour supporter tes joueurs. Habillé des pieds à la tête aux couleurs de ton équipe, tu fabriques des banderoles et tu te maquilles pour mettre de l'ambiance dans le kop, la tribune la plus « chaude » du stade. Pendant tout le match, tu tapes sur ton tambour pour rythmer les chants que vous connaissez par cœur. Quand tu vas voir les joueurs à l'entraînement, ils te disent tous qu'ils apprécient votre soutien. Au-delà des matchs, tu joues un rôle dans la vie du club. Tu râles pour que le président achète des stars ou tu manifestes pour qu'il change d'entraîneur.
Tu sais que, dans certains clubs européens, ce sont les supporteurs qui élisent eux-mêmes le président et tu les envies. Mais tu regrettes que d'autres passent la limite entre la passion et la violence. Le football n'est pas la guerre. C'est un jeu et cela doit le rester.

comme des écharpes et des **maillots** à l'effigie de leur club.

→ 35

LE VIEUX LION

Seigneur des surfaces, le Camerounais est le premier africain à avoir disputé trois phases finales de Coupe du monde !

Cet homme a le don du but. Sur les terrains de terre de son enfance ou devant des milliards de téléspectateurs, il fait mouche à tous les coups. Capable de démarrages foudroyants, il remporte deux Coupes d'Afrique des nations avec le Cameroun (1984 et 1988) et deux Coupes de France avec Monaco (1980) et Bastia (1981). Mais c'est la fin de sa carrière qui est la plus remarquable. À 38 ans, l'idole du Cameroun porte littéralement son équipe jusqu'en quart de finale de la Coupe du monde en Italie (1990). Une grande première pour une sélection africaine. Quatre ans plus tard, le vétéran du football marque son dernier but de Coupe du monde aux États-Unis. Il a 42 ans !

ROGER MILLA

Date de naissance
20 mai 1952 à Yaoundé (Cameroun)

Poste
attaquant

Principaux clubs
Bastia (1980-1984), Montpellier (1986-1989)

Palmarès
plus vieux buteur de l'histoire de la Coupe du monde

Équipe du Cameroun
79 sélections et 30 buts

Depuis 1972, le surnom des joueurs de l'équipe nationale du Cameroun, donné par un décret officiel, est « les lions indomptables ».

Joueur de clubs modestes, Milla est devenu célèbre grâce à la **Coupe du monde**. → 60

UN GRAND D'AFRIQUE

Plus que centenaire, le club cairote est une légende au pays des pharaons et sur tout le continent africain.

Fondé en 1907 au Caire, le club est, dans ses premières années, un symbole de la lutte des patriotes égyptiens contre la colonisation anglaise. En arabe, son nom signifie en effet « le national ». Al-Ahly connaît son premier âge d'or dans les années 1960 avec l'entraîneur hongrois Nandor Hidegkuti et s'impose sur le continent dès les années 1980. Désigné « club africain du siècle » en 2000 par la Confédération africaine de football (CAF), Al-Ahly a raflé plus de cent titres depuis sa création dont cinq titres en Ligue des Champions de la CAF. Au fil des ans, Al-Ahly est devenu l'une des équipes les plus populaires d'Afrique et compte aujourd'hui près de 50 millions de supporteurs dans le monde entier.

Moataz Eno célèbre la victoire de la Super Coupe d'Afrique de son club Al-Ahly en 2009.

Des stars comme Refaat Fanagili, Mahmud El Khatib, ou Moktar El Tetsh, considéré comme le plus grand joueur égyptien de tous les temps ou, plus récemment, **Mohamed Aboutrika**, ont eu l'honneur de porter le prestigieux maillot des « diables rouges ».

Al-Haly a gagné le championnat égyptien dès sa création en 1949.

L'Égypte forte de nombreux joueurs issus d'Al-Ahly détient le record de victoires à la **CAN**. →

50

LA PIONNIÈRE

Figure de proue de la sélection américaine, la talentueuse Mia Hamm a largement participé à la popularité du football féminin dans le monde.

Titulaire dans l'équipe nationale des États-Unis à 15 ans, Mia Hamm gagne quatre ans plus tard la première Coupe du monde de football féminin de l'histoire (1991). Elle remportera un nouveau titre en 1999. Déterminée, solide, elle possède une puissance de frappe phénoménale mais aussi une finesse technique qu'elle démontre en inscrivant de nombreux coups francs. En 2004, Mia Hamm prend sa retraite, dix-sept ans après ses débuts en sélection américaine. Après celle d'Atlanta (1996), elle vient de remporter sa deuxième médaille d'or aux jeux Olympiques d'Athènes.

Mia Hamm est mariée avec une star du base-ball américain.

MARIEL MARGARET HAMM

Date de naissance
17 mars 1972 à Selma (États-Unis)

Poste
attaquante ou milieu de terrain

Principaux clubs
North Carolina Tar Heels et Washington Freedom

Palmarès
record des buts en sélections (hommes et femmes compris)

Équipe des États-Unis
276 matchs et 158 buts

Mia Hamm compte près de six fois plus de sélections nationales que **Johann Cruyff**. →

51

UN FEU D'ARTIFICE

Plus de 20 millions de femmes jouent au football dans le monde mais la FIFA a attendu plus de soixante ans pour organiser une première compétition internationale à leur intention.

Après quelques tentatives de compétition opposant des équipes internationales dans les années 1970, la première Coupe du monde féminine officielle a lieu en Chine en 1991. Douze équipes sont en compétition : le Nigeria, l'Allemagne, le Danemark, l'Italie, la Norvège, la Suède, la Nouvelle-Zélande, le Brésil, Taïwan, les États-Unis, la France et la Chine. Le spectacle est au rendez-vous. Lors des 26 matchs, pas moins de 99 buts sont marqués soit près de 4 par rencontre !

Un feu d'artifice. Emmenés par une attaque de feu surnommée par les journalistes chinois « l'épée à triple tranchant », les États-Unis parviennent en finale contre les redoutables Norvégiennes. Les 65 000 spectateurs du stade Tianhe de Guangzhou assistent à une rencontre très indécise. L'Américaine Akers donne la victoire à son équipe dans les derniers instants du match et offre aux États-Unis le premier titre mondial de leur histoire.

Elle fut instituée soixante-et-un ans après la coupe du monde masculine (**1930**).

→ 09

52

L'ARTISTE !

Célèbre pour ses buts spectaculaires, le Français est un maître du jeu, capable du geste décisif à tout moment.

Dribbleur diabolique, prince des roulettes et des passements de jambes, Zinédine Zidane est doté d'une technique hors du commun, ciselée sur les terrains en béton des quartiers nord de Marseille. Mais ce génie du ballon rond n'est pas qu'un soliste égoïste. Sous sa baguette discrète, il organise le jeu de l'équipe et se forge un palmarès d'exception : champion du monde et champion d'Europe avec la France, double champion d'Italie avec la Juventus de Turin, vainqueur de la Ligue des champions et champion d'Espagne avec le Real de Madrid.

ZINÉDINE ZIDANE

Date de naissance
23 juin 1972 à Marseille (France)

Poste
milieu offensif

Principaux clubs
Cannes, Bordeaux, Juventus, Real de Madrid

Palmarès
Ballon d'or 1998 et buteur dans deux finales de Coupe du monde comme les Brésiliens Pelé et Vava et l'Allemand Paul Breitner

Équipe de France
108 matchs et 31 buts

Loué pour sa discrétion et son humilité, Zizou a cependant récolté 14 cartons rouges au cours de sa carrière et son dernier geste de footballeur n'a pas été le plus beau.

Il est issu de l'immigration comme les deux autres meilleurs joueurs français, Kopa et **Platini**. → 40

DATE 3 AOÛT 1996 : NIGERIA CHAMPION OLYMPIQUE

53 LE SACRE DU FOOTBALL AFRICAIN

Les jeux Olympiques de 1996 organisés à Atlanta voient pour la première fois une équipe africaine remporter une compétition mondiale.

Le premier match international d'un pays africain a eu lieu en 1920 : l'Égypte écrase la Belgique 4 à 2.

Emmenés par leur immense attaquant Nwankwo Kanu, les techniques et puissants Nigérians font sensation lors du tournoi olympique américain en éliminant le favori brésilien en demi-finale. En finale, les 86 000 spectateurs du Sanford Stadium d'Athènes, dans l'État de Georgie, assistent à un match historique : les Super Eagles du Nigeria affrontent la redoutable armada de l'Argentine, dont les stars Hernan Crespo et Claudio Lopez. Les Sud-Américains mènent 1 à 0 puis 2 à 1 avant de perdre le match 2 à 3 dans les dernières secondes de la partie. Cette victoire africaine n'est pas un simple feu de paille. Les Nigérians seront suivis, dès 2000, par les Camerounais, médaille d'or aux Jeux de Sidney ! En 2008, les Argentins prendront leur revanche et battront les Nigérians en finale (1 à 0).

La première équipe africaine à participer à la Coupe du monde a été le Maroc en **1970**. →

54

LE PETIT PRINCE

Lutin des surfaces, le phénomène argentin est aussi insaisissable que modeste, une denrée rare chez les stars du football.

Concentré de talent, ce génie du football haut comme trois ballons n'aurait jamais du être professionnel. À 10 ans, il mesure seulement 1,11 m. Un médecin décèle une maladie hormonale. Léo doit suivre un traitement pour rattraper son retard de croissance. Le FC Barcelone prend en charge les soins médicaux de l'Argentin et personne ne le regrettera, ni le joueur qui grandit enfin, ni le club, ni les supporteurs catalans. À 17 ans, Léo Messi marque son premier but pour le FC Barcelone et ne quitte plus le terrain. En menant son équipe à un triplé historique (championnat-coupe et ligue des champions) en 2009, le génial petit Argentin s'impose comme le meilleur joueur du monde.

LIONEL MESSI

Date de naissance
né le 24 juin 1987 à Rosario (Argentine)

Poste
milieu offensif

Clubs
FC Barcelone depuis 2005

Palmarès
Ballon d'or 2009

Équipe d'Argentine
1re sélection en 2005

Lors de son premier match pour l'Argentine, Messi a été expulsé après trois minutes de jeu !

Lionel Messi est considéré comme l'héritier du talent de **Diego Maradona**. → 44

55

FIERTÉ CATALANE

Emblème de la Catalogne, rival du Real en Espagne, le FC Barcelone est l'un des plus grands clubs du monde.

Finalistes malheureux de la Coupe des clubs champions en 1961 et 1986, les « Blaugranas » remportent le titre suprême européen en 1992 sous l'autorité du Néerlandais Johann Cruyff. Joueur mythique du club, entraîneur charismatique, il impose aux Catalans le « football total ». Génie tactique, il transforme le Barca en machine à gagner pour le plus grand plaisir des quelque 800 clubs de supporteurs du monde entier. Son disciple Pep Gardiola fait mieux encore pour ses débuts d'entraîneur. En 2009, son équipe où brillent notamment Messi, Iniesta, Xavi ou Eto'o remporte la Ligue des champions, la Coupe d'Espagne, le Championnat d'Espagne, la Supercoupe d'Espagne, la Supercoupe de l'UEFA et la Coupe du monde des clubs. Un sextuplé inédit et difficile à battre !

Créé en **1899** à l'initiative du Suisse Joan Gamper, premier capitaine de l'équipe, le Barca porte les couleurs bleu foncé et rouge grenat de l'Excelsior de Zurich, le club préféré de son fondateur.

Johann Cruyff, Hugo Sotil et Johan Neeskens du FC Barcelone posent avant un match au stade Nou Camp à Barcelone, le 1er août 1974.

Le **maillot** du Barca est resté vierge de toute publicité jusqu'en 2003. Il est depuis le porte-drapeau de l'UNICEF. Mais c'est le club qui verse l'argent à son partenaire !

Barcelone abrite deux grands **stades** : le Nou Camp et le Vicente Calderón de l'Atletico. → 12

COMPÉTITION ▸ CHAMPIONNAT D'EUROPE DES NATIONS

56 ROI DU VIEUX CONTINENT

Aussi difficile qu'une Coupe du monde, le Championnat d'Europe des nations, dite l'Euro, est une compétition prestigieuse.

Créée en 1960, la compétition majeure de l'UEFA est organisée tous les quatre ans. Elle comprend des phases qualificatives et un tournoi final où le nombre de nations ne cesse d'augmenter, passant de quatre seulement en 1960 à seize depuis 1996. Cette évolution s'explique par le nombre de plus en plus important de nations européennes suite à l'éclatement de l'URSS et de la Yougoslavie.

Le Français Michel Platini détient le record des buts sur une compétition : 9 buts en 1984.

Platini remporta le Championnat d'Europe en 1984 : seul trophée avec l'équipe de France. → 40

COMPÉTITION ▸ COUPE D'AFRIQUE DES NATIONS

57 SAGA AFRICA

La Coupe d'Afrique des nations (CAN) est le plus grand rendez-vous sportif du continent. Il suscite un intérêt mondial avec près de deux milliards de téléspectateurs.

Grande messe du football africain, disputée tous les deux ans, cette compétition s'est déroulée pour la première fois en 1957 au Soudan. Les seize équipes s'affrontent en début d'année pour éviter la saison des pluies et la chaleur estivale. Le pays qui a remporté le plus de Coupes d'Afrique des nations est l'Égypte avec sept titres (1957, 1959, 1986, 1998, 2006, 2008 et 2010).

La première édition réunit seulement 3 équipes ! Invités, les Africains du sud sont finalement exclus car il refusent d'incorporer des joueurs noirs.

Roger Milla a gagné la Coupe d'Afrique des nations avec le Cameroun en 1984 et 1988. → 48

58

COMPÉTITION COPA AMERICA

LES CONQUISTADORS

Dans la chaleur de l'Amérique du Sud, douze équipes redoutées dans le monde entier se disputent ce prestigieux trophée.

Plus vieux tournoi continental de l'histoire du football, la Copa a lieu tous les deux, trois ou quatre ans depuis 1916. L'épreuve s'est déroulée une quarantaine de fois avec une domination des équipes argentine, uruguayenne et brésilienne qui ont remporté plus de 35 titres !

La finale de 1919 entre l'Uruguay et le Brésil dure 150 minutes. Les Brésiliens l'emportent au bout de la quatrième prolongation.

Lionel Messi a été élu « meilleur jeune joueur » de la Copa America en 2007.

54

59

COMPÉTITION COUPE D'ASIE DES NATIONS

LA CONQUÊTE DE L'EST

Japon, Arabie saoudite, Chine, Qatar, Iran ou Irak, ils veulent tous devenir champions d'Asie de football !

Depuis 1956, cette compétition rassemble tous les quatre ans les seize meilleures équipes nationales du continent asiatique. Le premier tournoi a eu lieu à Hong Kong et a été remporté par les Coréens du Sud, également vainqueurs de la deuxième édition !

En 2000, le Français Philippe Troussier a remporté le trophée avec le Japon.

Lors de la Coupe du monde **1930**, aucune équipe d'Asie ou d'Océanie ne participait.

→ 09

LE GRAND RENDEZ-VOUS

Tournoi presque anonyme lors sa première édition en Uruguay (1930), la Coupe du monde est devenue le plus grand événement sportif de la planète avec les jeux Olympiques.

Imaginée par le Français Jules Rimet, la Coupe du monde a eu lieu trois fois au cours des années 1930, avant que le deuxième conflit mondial n'impose un coup d'arrêt de douze ans. Depuis 1950, cette grande fête permet tous les quatre ans d'établir une hiérarchie dans la planète « football » et de mettre en scène les jeux caractéristiques de chaque nation. Malgré les centaines de prétendants au titre suprême, la Coupe du monde a consacré moins de 10 vainqueurs différents, le Brésil et l'Italie trustant les trophées. Elle a surtout donné lieu à des matchs de légende comme le succès des États-Unis sur l'Angleterre en 1950, la victoire de la Corée du Nord sur l'Italie en 1966 ou celle de la France sur le Brésil en 1998. Grande messe du football mondial, attendue avec ferveur par les supporteurs et les amoureux du ballon rond, la Coupe du monde est un événement médiatique considérable. La finale est regardée en direct par près de deux milliards de téléspectateurs à travers le monde. Après avoir été organisée alternativement sur le continent américain (1950, 1962, 1970, 1978, 1986, 1994), européen (1954, 1958, 1966, 1974, 1982, 1990, 1998, 2006) et asiatique (2002), la Coupe a été pour la première fois attribuée à un pays du continent africain en 2010. Centre du monde pendant quatre semaines, l'Afrique du Sud transmettra le flambeau au Brésil où se déroulera la vingtième édition de la compétition en 2014.

Une mascotte officielle de la Coupe du monde est choisie lors de chaque compétition depuis 1966. Les premiers de ces sympathiques personnages ont été le lion footballeur Willie puis Juanito, le petit Mexicain au sombrero.

Le **Brésil** est le seul pays à s'être qualifié pour toutes les Coupes du monde depuis l'origine.

Les pays qui accueillent les Coupes du monde sont choisis par la FIFA qui gouverne

Rêve absolu de tout footballeur, la Coupe du monde a souri au roi Pelé qui est le seul à avoir remporté 3 titres. Mais la belle s'est refusée à deux des plus grands joueurs de l'histoire, Johann Cruyff et Michel Platini.

Le **trophée** actuel de la Coupe du monde ne peut plus être définitivement gagné par un pays. Le vainqueur la conserve simplement jusqu'à l'édition suivante où il reçoit une réplique de l'original.

COMPÉTITIONS INTERNATIONALES

COUPE DU MONDE

ANNÉE	VAINQUEUR	FINALISTE	SCORE	LIEU
2014				Brésil
2010				Afrique du Sud
2006	Italie	France	1-1 (5 tirs au but à 3)	Allemagne
2002	Brésil	Allemagne	2-0	Corée du Sud/Japon
1998	France	Brésil	3-0	France
1994	Brésil	Italie	0-0 (3 tirs au but à 2)	États-Unis
1990	RFA	Argentine	1-0	Italie
1986	Argentine	RFA	3-2	Mexique
1982	Italie	RFA	3-1	Espagne
1978	Argentine	Pays-Bas	3-1	Argentine
1974	RFA	Pays-Bas	2-1	RFA
1970	Brésil	Italie	4-1	Mexique
1966	Angleterre	RFA	4-2	Angleterre
1962	Brésil	Tchécoslovaquie	3-1	Chili
1958	Brésil	Suède	5-2	Suède
1954	RFA	Hongrie	3-2	Suisse
1950	Uruguay	Brésil	2-1	Brésil
1938	Italie	Hongrie	4-2	France
1934	Italie	Tchécoslovaquie	2-1	Italie
1930	Uruguay	Argentine	4-2	Uruguay

COUPE DU MONDE DE FOOTBALL FÉMININ

ANNÉE	VAINQUEUR
2007	Allemagne
2003	Allemagne
1999	États-Unis
1995	Norvège
1991	États-Unis

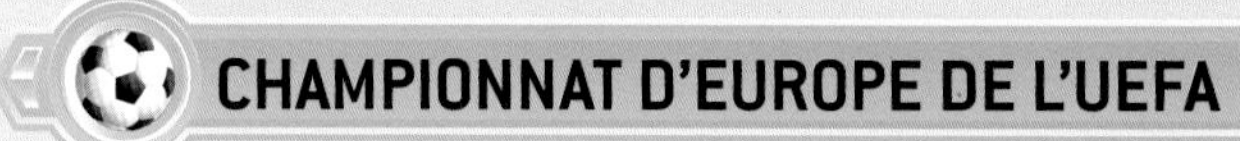

CHAMPIONNAT D'EUROPE DE L'UEFA

ANNÉE	VAINQUEUR
2008	Espagne
2004	Grèce
2000	France
1996	Allemagne
1992	Danemark
1988	Pays-Bas
1984	France
1980	RFA
1976	Tchécoslovaquie
1972	RFA
1968	Italie
1964	Espagne
1960	URSS

BALLONS D'OR

ANNÉE	JOUEURS
1956	Stanley Matthews (ANG)
1957	Alfredo Di Stefano (ESP)
1958	Raymond Kopa (France)
1959	Alfredo Di Stefano (ESP)
1960	Luis Suarez (ESP)
1961	Omar Sivori (ITA)
1962	Josef Masopust (TCH)
1963	Lev Yachine (URSS)
1964	Denis Law (ECO)
1965	Eusebio (POR)
1966	Bobby Charlton (ANG)
1967	Florian Albert (HON)
1968	George Best (ILN)
1969	Gianni Rivera (ITA)
1970	Gerd Müller (ALL)
1971	Johann Cruyff (PB)
1972	Franz Beckenbauer (ALL)
1973	Johann Cruyff (PB)
1974	Johann Cruyff (PB)
1975	Oleg Blokhine (URSS)
1976	Franz Beckenbauer (ALL)
1977	Alan Simonsen (DAN)
1978	Kevin Keegan (ANG)
1979	Kevin Keegan (ANG)
1980	Karl-Heinz Rummenigge (ALL)
1981	Karl-Heinz Rummenigge (ALL)
1982	Paolo Rossi (ITA)
1983	Michel Platini (France)
1984	Michel Platini (France)
1985	Michel Platini (France)
1986	Igor Belanov (URSS)
1987	Ruud Gullit (PB)
1988	Marco van Basten (PB)
1989	Marco van Basten (PB)
1990	Lothar Matthaus (ALL)
1991	Jean-Pierre Papin (France)
1992	Marco van Basten (PB)
1993	Roberto Baggio (ITA)
1994	Hristo Stoichov (BUL)
1995	George Weah (LBR)
1996	Matthias Sammer (ALL)
1997	Ronaldo (BRE)
1998	Zinédine Zidane (France)
1999	Rivaldo (BRE)
2000	Luis Figo (POR)
2001	Michael Owen (ANG)
2002	Ronaldo (BRE)
2003	Pavel Nedved (RTC)
2004	Andrei Chevtchenko (UKR)
2005	Ronaldinho (BRE)
2006	Fabio Cannavaro (ITA)
2007	Kaka (BRE)
2008	Christian Ronaldo (POR)
2009	Lionel Messi (ARG)

PETIT DICO DU FOOT

- **Aile :** partie du terrain située près de la ligne de touche (parfois appelée couloir)
- **Bicyclette (faire une) :** reprise aérienne acrobatique, en ciseau, dos au ballon
- **Billard :** pelouse si parfaite qu'elle fait penser au feutre d'un billard
- **Biscotte :** carton jaune ou rouge
- **Boulet :** tir très puissant (synonyme de « missile » ou de « péchon »)
- **Boulevard :** espace libre très important dans lequel un attaquant peut avancer sans opposition
- **Caviar :** ballon reçu ou donné dans des conditions excellentes
- **Cirer la banquette :** être remplaçant et rester sur le ban de touche
- **Coiffeurs :** surnom des remplaçants
- **Commettre un attentat :** faire une faute très violente
- **Enrhumer l'adversaire :** dribbler facilement son opposant
- **Hat-trick :** marquer trois buts consécutifs par un même joueur
- **Lanterne rouge :** équipe qui occupe la dernière place du classement
- **Lucarne :** angle supérieur formé par chacun des poteaux du but et par la barre transversale
- **Marquer à la culotte :** ne jamais quitter son adversaire direct
- **Mouiller le maillot :** défendre sans relâche, attaquer sans cesse, donner le maximum pour son équipe
- **Mur :** rangée de défenseurs placés à 9,15 m face au ballon au moment du coup franc
- **Pleureuse :** joueur qui a l'habitude de se laisser tomber et de se plaindre à l'arbitre
- **Pont (petit) :** faire passer le ballon entre les jambes de son adversaire et le récupérer ensuite
- **Pont (grand) :** envoyer la balle sur le côté de son adversaire puis passer par l'autre côté pour la récupérer
- **Tricoter :** trop dribbler et ne pas faire de passe
- **Vendanger :** rater une occasion de but « immanquable »

CITATIONS

« Il n'y a pas d'endroit dans le monde où l'homme est plus heureux que dans un stade de football. »
Albert Camus

« Le football est un sport qui se joue à 11 et dans lequel ce sont les Allemands qui gagnent à la fin. »
Gary Lineker

« Je ne joue pas contre une équipe en particulier. Je joue pour me battre contre l'idée de perdre. »
Éric Cantona

« Le football est simple mais il est difficile de jouer simple. »
Johann Cruyff

« Le football n'est pas une question de vie ou de mort, c'est bien plus que cela. »
Bill Shankly, manager de Liverpool

L'équipe du passé

L'équipe du présent

DES DATES ET DES HISTOIRES

1872 : lors du premier match international de l'histoire, les joueurs écossais et anglais portaient des chapeaux et des casquettes.

1875 : la transversale est instituée. On marquait un but en envoyant le ballon entre les poteaux, quelle que soit la hauteur, comme au rugby. Puis un ruban a été utilisé pour délimiter la hauteur des cages lors des premières rencontres internationales.

1891 : introduction du penalty. Surnommé le « tir de la mort », il pouvait être tiré de n'importe où sur une ligne située à 11 m des buts.

1927 : on a enfin le droit de marquer un but sur coup franc !

HISTOIRES DE MAILLOTS

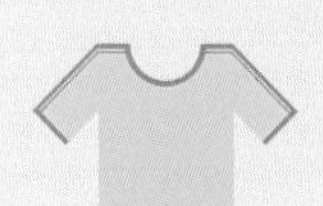

Le Brésil

Le maillot du Brésil était autrefois blanc. Mais il a été abandonné à jamais après la cruelle défaite à domicile face à l'Uruguay lors de la finale de la Coupe du monde 1950. Le Brésil a adopté le vert et le jaune de son drapeau, symbolisant la forêt de l'Amazonie et les richesses en or du pays.

La Juventus de Turin

Autrefois, les joueurs turinois ne jouaient pas dans leur célèbre maillot à rayures blanches et noires mais en rose. Pourquoi ont-ils changé ? À cause de l'erreur d'un fabricant anglais qui, en 1903, livre à Turin les maillots du club anglais de Nottingham County. Deux ans plus tard, la Juve décroche son premier titre et garde à jamais son maillot bianconero (blanc et noir).

Les Pays-Bas

Les joueurs néerlandais jouent en orange tout simplement car la famille royale est issue de la dynastie d'Orange.

L'Argentine

Les joueurs portent un maillot à rayures bleu ciel et blanches en hommage au drapeau que le pays a adopté lors de son indépendance en 1810.

L'Olympique de Marseille

Le maillot de l'OM a été choisi pour symboliser la pureté du mouvement olympique prôné par Pierre de Coubertin lors des Jeux d'Athènes en 1896, quelques années avant la création du club.

Boca Juniors

Les fondateurs du club argentin n'arrivaient pas à se mettre d'accord pour choisir les couleurs du maillot de leurs joueurs. Ils décidèrent d'adopter celles du premier bateau qui entrerait dans le port. Le premier portait un pavillon suédois. Depuis ce jour, les maillots arborent une bande horizontale jaune sur fond bleu.

1958 : les remplaçants sont autorisés pour la première fois, mais ils ne peuvent être appelés que sur blessure d'un titulaire.

1970 : introduction du système des cartons jaunes et rouges à l'occasion de la Coupe du monde au Mexique. Chef des arbitres à la FIFA, l'Anglais Ken Aston a eu l'idée des cartons jaunes et rouges en regardant les feux tricolores d'une rue londonienne, Kensington High Street. Grâce à lui, les spectateurs ont pu comprendre quand un joueur était averti ou exclu. Le premier carton jaune a été donné lors de Mexique-URSS au Soviétique Malkhaz Asatiani.

1990 : la règle du hors-jeu est modifiée en faveur de l'attaquant, qui est désormais en jeu s'il se trouve sur la même ligne que le dernier défenseur.

1990 : le port des protège-tibias devient obligatoire.

1958 — 1970 — 1990 — 1990

LES TEMPLES DU FOOTBALL

Le stade Azteca de Mexico est le seul à avoir abrité deux Coupes du monde. En 1970, le vainqueur a été le Brésil de Pelé, et en 1986, l'Argentine de Maradona.

Inauguré en 1954, **le stade du FC Barcelone** a accueilli le match d'ouverture de la Coupe du monde 1982, plusieurs finales de Coupes d'Europe et celle des jeux Olympiques de 1992. Une chapelle est située juste avant l'entrée sur le terrain du Camp Nou pour permettre aux joueurs de se recueillir.

Construit au cœur de Rio de Janeiro à l'occasion de la Coupe du monde 1950, **le stade Maracana** a longtemps été le plus grand du monde : 183 341 personnes auraient ainsi assisté au match Brésil-Paraguay en 1970 ! Aujourd'hui, il ne compte plus que 87 101 places assises en raison de travaux de sécurité.

Théâtre de la première Coupe du monde, **l'Estadio Centenario de Montevideo** est l'un des premiers colosses en béton de l'histoire du football avec une capacité de 100 000 spectateurs.

Nommé en hommage au plus grand président du Real Madrid, **le stade Santiago Bernabeu** a accueilli plusieurs finales de la Ligue des champions, celle du Championnat d'Europe des nations 1964 remportée par l'Espagne et celle de la Coupe du monde 1982 gagnée par l'Italie. Depuis sa construction, il a vu sa capacité fondre de 120 000 à 80 000 places.

Le stade Old Trafford où joue le club anglais de Manchester United est surnommé le théâtre des rêves. Une mise en garde contre le vertige est écrite sur les tickets des spectateurs car les tribunes atteignent presque 60 m de haut !

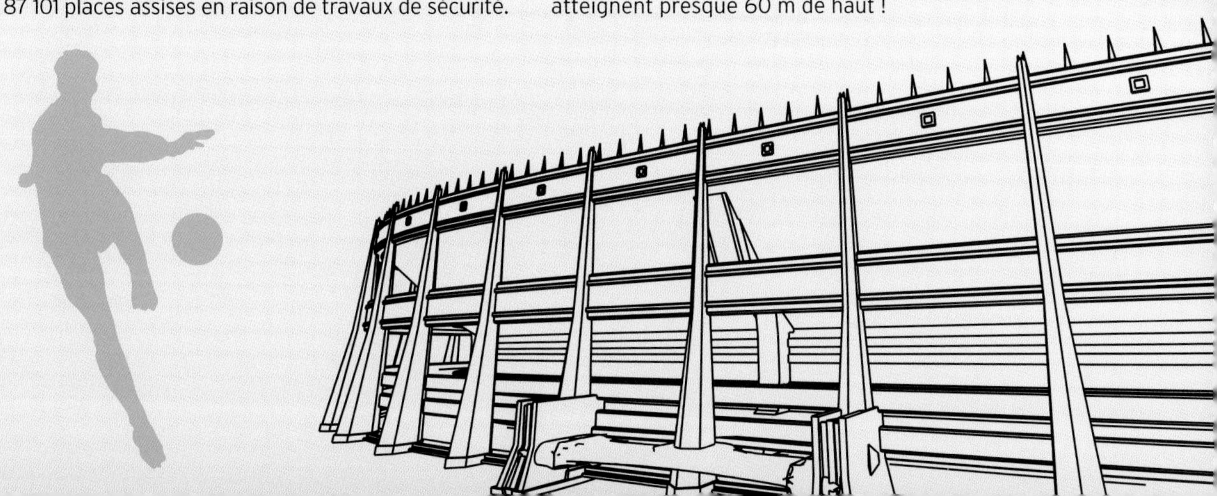

Champions de ligue 1/ 1re division

2008-2009 Girondins de Bordeaux
2007-2008 OL (Lyon)
2006-2007 OL (Lyon)
2005-2006 OL (Lyon)
2004-2005 OL (Lyon)
2003-2004 OL (Lyon)
2002-2003 OL (Lyon)
2001-2002 OL (Lyon)
2000-2001 FC Nantes
1999-2000 AS Monaco
1998-1999 Girondins de Bordeaux
1997-1998 RC Lens
1996-1997 AS Monaco
1995-1996 AJ Auxerre
1994-1995 FC Nantes
1993-1994 Paris Saint-Germain
1992-1993 Titre non attribué (OM déclassé)
1991-1992 OM (Marseille)
1990-1991 OM (Marseille)
1989-1990 OM (Marseille)
1988-1989 OM (Marseille)
1987-1988 AS Monaco
1986-1987 Girondins de Bordeaux
1985-1986 Paris Saint-Germain
1984-1985 Girondins de Bordeaux
1983-1984 Girondins de Bordeaux
1982-1983 FC Nantes
1981-1982 AS Monaco
1980-1981 AS Saint-Étienne
1979-1980 FC Nantes
1978-1979 RC Strasbourg
1977-1978 AS Monaco
1976-1977 FC Nantes
1975-1976 AS Saint-Étienne
1974-1975 AS Saint-Étienne
1973-1974 AS Saint-Étienne
1972-1973 FC Nantes
1971-1972 OM (Marseille)
1970-1971 OM (Marseille)
1969-1970 AS Saint-Étienne
1968-1969 AS Saint-Étienne
1967-1968 AS Saint-Étienne
1966-1967 AS Saint-Étienne
1965-1966 FC Nantes
1964-1965 FC Nantes
1963-1964 AS Saint-Étienne
1962-1963 AS Monaco
1961-1962 Stade de Reims
1960-1961 Monaco
1959-1960 Stade de Reims
1958-1959 OGC Nice
1957-1958 Stade de Reims
1956-1957 AS Saint-Étienne
1955-1956 OGC Nice
1954-1955 Stade de Reims
1953-1954 LOSC (Lille)
1952-1953 Stade de Reims
1951-1952 OGC Nice
1950-1951 OGC Nice
1949-1950 Girondins de Bordeaux
1948-1949 Stade de Reims
1947-1948 OM (Marseille)
1946-1947 CO Roubaix-Tourcoing
1945-1946 LOSC (Lille)
1938-1939 FC Sète
1937-1938 FC Sochaux
1936-1937 OM (Marseille)
1935-1936 RCF (Paris)
1934-1935 FC Sochaux
1933-1934 FC Sète
1932-1933 Olympique Lillois
Pas de match de 1939 à 1945 (Seconde Guerre mondiale).

Coupe de France

2009 Guingamp
2008 OL (Lyon)
2007 FC Sochaux
2006 Paris Saint-Germain
2005 AJ Auxerre
2004 Paris Saint-Germain
2003 AJ Auxerre
2002 FC Lorient
2001 RC Strasbourg
2000 FC Nantes
1999 FC Nantes
1998 Paris Saint-Germain
1997 OGC Nice
1996 AJ Auxerre
1995 Paris Saint-Germain
1994 AJ Auxerre
1993 Paris Saint-Germain

1992 Non joué pour cause de catastrophe au stade Furiani de Bastia
1991 AS Monaco
1990 Montpellier HSC
1989 OM (Marseille)
1988 FC Metz
1987 Girondins de Bordeaux
1986 Girondins de Bordeaux
1985 AS Monaco
1984 FC Metz
1983 Paris Saint-Germain
1982 Paris Saint-Germain
1981 SC Bastia
1980 AS Monaco
1979 FC Nantes
1978 AS Nancy-Lorraine
1977 AS Saint-Étienne
1976 OM (Marseille)
1975 AS Saint-Étienne
1974 AS Saint-Étienne
1973 OL (Lyon)
1972 OM (Marseille)
1971 Stade rennais
1970 AS Saint-Étienne
1969 OM (Marseille)
1968 AS Saint-Étienne
1967 OL (Lyon)
1966 RC Strasbourg
1965 Stade rennais
1964 OL (Lyon)
1963 AS Monaco
1962 AS Saint-Étienne
1961 UA Sedan-Torcy
1960 AS Monaco
1959 AC Le Havre
1958 Stade de Reims
1957 FC Toulouse
1956 UA Sedan-Torcy
1955 LOSC (Lille)
1954 OGC Nice
1953 LOSC (Lille)
1952 OGC Nice
1951 RC Strasbourg
1950 Stade de Reims
1949 RCF (Paris)
1948 LOSC (Lille)
1947 LOSC (Lille)
1946 LOSC (Lille)
1945 RCF (Paris)
1944 AS Nancy-Lorraine
1943 OM (Marseille)
1942 Red Star (Paris)
1941 Girondins de Bordeaux
1940 RCF (Paris)
1939 RCF (Paris)
1938 OM (Marseille)
1937 FC Sochaux
1936 RCF (Paris)
1935 OM (Marseille)
1934 FC Sète
1933 Excelsior AC Roubaix
1932 AS Cannes
1931 Club français (Paris)
1930 FC Sète
1929 SO Montpellier
1928 Red Star (Paris)
1927 OM (Marseille)
1926 OM (Marseille)
1925 CASG Paris
1924 OM (Marseille)
1923 Red Star (Paris)
1922 Red Star (Paris)
1921 Red Star (Paris)
1920 CA Paris
1919 CASG Paris
1918 Olympique de Pantin

Coupe de la ligue

2009 Girondins de Bordeaux
2008 Paris Saint-Germain
2007 Girondins de Bordeaux
2006 AS Nancy-Lorraine
2005 RC Strasbourg
2004 FC Sochaux
2003 AS Monaco
2002 Girondins de Bordeaux
2001 OL (Lyon)
2000 FC Gueugnon
1999 RC Lens
1998 Paris Saint-Germain
1997 RC Strasbourg
1996 FC Metz
1995 Paris Saint-Germain

SITES WEB

www.fff.fr
Site de la Fédération française de football Pour connaître toute l'actualité du football français. Un panorama des équipes françaises avec leurs sélections, des infos sur le staff, leur palmarès, des photos de joueurs. Des articles sur des événements et des matchs récents.

www.fifa.com
Site de la Fédération internationale de Football. Ce site donne des infos sur les prochaines compétitions internationales, sur l'état des compétitions nationales, les résultats des matchs, etc.

www.football.fr
www.maxifoot.fr
www.francefootball.fr
Il existe de nombreux sites gérés par des fans pour les fans de football ou par des journalistes pour connaître toute l'actualité du football français et dans le monde. À vous de choisir celui qui vous plaît le plus!

LIEUX

STADES MYTHIQUES :

· Le Stade de France
ZAC du Cornillon Nord
93210 Saint-Denis
Il est possible de visiter le Stade de France et de pénétrer dans les coulisses : vestiaires, tribunes, terrain, espace musée. Sinon rien ne vaut d'y assister à une rencontre entre deux grandes équipes !

· Le parc des Princes
24, rue du Commandant Guilbaud
75016 Paris
Le Paris Saint-Germain y est résident depuis 1974 et depuis la Coupe du monde 1998, le PSG est désormais seul maître des lieux et y a installé son siège social, le Parc ayant bénéficié d'importants travaux de rénovation.
Ce stade se visite également : voyage sur la pelouse, dans les vestiaires, découverte du hall joueurs, des salons, de la salle des trophées...

· Stade Vélodrome
3, boulevard Michelet
13008 Marseille
À l'occasion de la Coupe du monde 1998, le stade de l'OM a été totalement rénové et a vu sa capacité porter de 42 000 à 60 000 places.

MUSÉES - VISITE

• Musée du Football
60 bis, avenue d'Iéna
75016 Paris
Le musée expose des affiches, des cartes postales consacrées au football, des trophées gagnés grâce au ballon rond.

• Galaxy foot
Parc des expositions, Porte de Versailles
75015 Paris
Depuis cinq ans le football a son Salon qui rassemble les professionnels et les passionnés de foot.

FILMS ET SÉRIES

Joue-la comme Beckham
de Gurinder Chadha (2002)
En Angleterre, Jess Bhamra, une adolescente indienne, admiratrice du footballeur David Beckham, intègre une équipe de football féminine.

Tom Foot
de Bo Widerberg (1974)
Le petit Tom Foot, six ans, devient la vedette de l'équipe internationale de football suédoise. Mais à cet âge là, il ne peut même pas lire les journaux traitant de sa gloire, ni même signer d'autographe.

Le Ballon d'or
de Cheik Doukouré (1993)
Comment Bandian, jeune paysan africain, va devenir une vedette du football mondial.

Maradona
par Kusturica (2008)
Emir Kusturica retrace dans ce documentaire l'incroyable histoire de Diego Maradona : héros sportif, dieu vivant du football, artiste de génie, champion du peuple, idole déchue et modèle pour des générations du monde entier.

Football days
de David Serrano (2003)
Six amis, sans talent ni bonne condition physique, forment une équipe de football nommée Brazil. Ils décident de jouer jusqu'à ce qu'ils gagnent.

À nous la victoire
de John Huston (1981)
Comment s'évader d'un camp de prisonniers tout en gagnant un match de foot contre les nazis.

Les yeux dans les Bleus
de Stéphane Meunier (1998)
Ce reportage suit les Bleus tout au long de la Coupe du monde 1998.

Zidane, un portrait du XXIe siècle
de Douglas Gordon et Philippe Parreno (2006)
Un portrait spectaculaire de ce grand joueur tourné en temps réel et en action, pour donner au spectateur l'illusion d'être parmis les joueurs.

JEUX VIDÉOS

FIFA 10
Electronic arts (2009)
Dernière version du jeu d'action FIFA, il permet à 42 équipes nationales de s'affronter lors de compétitions. La performance des moteurs graphiques améliorent le réalisme de ces jeux.

Football manager
Sport Interactive (2007)
Jeu de gestion, le joueur est dans la peau de l'entraîneur, c'est donc à lui qu'appartiennent toutes les décisions concernant la gestion du club : achat de joueurs, sélections, tactiques, etc.

LIVRES

En pleine lucarne
Philippe Delerm - Folio Junior
Stéphane et Romain sont deux amis inséparables, au collège comme au foot. Lorsque Romain accepte de rejoindre le centre de formation d'un grand club, Stéphane se retrouve bien seul. Arrive alors un jeune Turc, Artun, incroyablement doué la balle au pied...

90 minutes pour gagner
Jean-Noël Blanc - Folio Junior
Tous les jours, Joël joue au foot avec ses copains du lotissement. Son rêve ? devenir le meilleur goal du monde. La rencontre avec son nouveau voisin sera-t-elle déterminante ?

Le gardien
Malcolm Peet - Hors-piste, Gallimard Jeunesse
Le meilleur des gardiens de but dévoile, en exclusivité pour un ami journaliste, l'incroyable histoire de sa vie : comment lui, fils d'un pauvre bûcheron, a pu devenir ce gardien quasiment impossible à battre...

Habib Diarra, champion du monde
Bruno Paquelier - Milan poche-junior
À travers le récit de la vengeance d'Habib Diarra, meilleur footballeur français, contre un ancien entraîneur raciste, ce roman évoque le quotidien d'un joueur de haut niveau noir, et tous les bonheurs et les hontes du sport.

Le Ballon d'or
de Yves Pinguilly - Rageot
Bandian adore le football et il a bien l'intention de devenir le meilleur des joueurs. Mais pour s'entraîner correctement, il lui faudrait déjà... un ballon, un vrai, en cuir. Un ballon avec lequel il pourrait donner le coup d'envoi de sa carrière, vers le centre de formation de Conakry, puis les grands clubs européens et qui sait... trouver la gloire sur les stades.

A

B

C

D E

TABLE DES ILLUSTRATIONS

00 : Shutterstock © Manzrussali
01 : Gravure chinoise in Illustration of the Three Powers (Heaven, Earth, Man) of Wang Qi, Sancai Tuhui, 1609. British Library, Londres. ©British Library/akg-images ; chromolithographie de 1885. © Heritage Images/Leemage ; jeune homme s'exerçant au football avec son esclave, sculpture grecque, Ve siècle av. J.-C. Musée national d'Archéologie, Athènes. © Akg-Images
02 : Dans la boîte : photo arbitre © C Squared Studios/Photodisc/Getty Images ; sifflet shutterstock ©Feng Yu, frise d'arbitres : shutterstock ©Slobodan Djajic
03 : Illustration Ludovic Dufour © Gallimard Jeunesse
04 : Angleterre-Écosse, 1875. © Popperfoto/ Getty Images ; supporteurs quittant le terrain après un match des Notts County à domicile, Nottingham, 1901, in The Book of Football, 1906. © Mary Evans/Rue des Archives
05 : Poster du joueur de foot brésilien Arthur Friedenreich, surnommé 'El Tigre'. © El Grafico/AFP
06 : Ancien ballon de foot en cuir. © Dave King/Dorling Kindersley
07 : Le président de la FIFA Jules Rimet, assisté par un jeune garçon, tire au sort les matchs de la Finale de la Coupe du monde, Paris, 1938. © Popperfoto/Getty Images
08 : Illustration Ludovic Dufour © Gallimard Jeunesse
09 : Première sélection de l'équipe de France à bord du bateau *Le Conte Verde*, dont Jules Rimet faisait partie, 18 juillet 1930. © Fonds Excelsior/Presse Sports ; photo planète terre shutterstock © zentilia ; coupe shutterstock © Ilin Sergey
10 : Gardien de but ©Tim Platt/Stone/Getty Images ; photo du fond de la boîte shutterstock © Milolika
11 : Lev Yashine, Mexico, 1970. © AFP
Lev Yashine en action, 1957. © Ria Novosti/ akg-images
12 : Photo terrain shutterstock © syzius ; vestiaires du stade Free State, Bloemfontein, Afrique du Sud, 2009. © Mike Hewitt/FIFA via Getty Images construction du parc des Princes, Paris, septembre 1971. © Gérald Bloncourt/Rue des Archives ; Stade national de Pékin, surnommé le « Nid d'oiseau ». Photo courtesyed by BOCOG
13 : Shutterstock : défenseur © Andresr, image ballon © Phase4Photography
14 : George Allison, manager de l'Arsenal Football Club, interviewé par un journaliste de télévision, 1937. © Imagno/La Collection ; téléviseur shutterstock © James Steidl
15 : Journaliste sportif. © Stockbyte/Getty Images
16, 24, 25 et 41 : Illustrations Vincent Desplanche © Gallimard Jeunesse
17 : Ryan Giggs, Manchester United, quarts de finale de la Ligue des Champions, Manchester United-AS Roma, 9 avril 2008 © Ben Radford/ Corbis. Équipe de Manchester United, 16 juillet 1968. © Bettmann/Corbis
18 : Angleterre – Hongrie, 1er but de l'Angleterre, par Sewell. L'Angleterre perdra 6-3, 25 novembre 1953 © Talking Sport/ Photoshot /MAXPPP ; image du mur shutterstock ©higyou
19 : Milieu de terrain. ©Adam Burt/Getty Images ; image du fond de la boîte shutterstock © Andrey Yurlov
20 : Pelé, 1970. ©Suddeutsche Zeitung/Rue des Archives ; Pelé, Tournoi de Sao Paulo, février 1959. © Popperfoto/Getty Images
21 : L'équipe du Brésil victorieuse lors du match Brésil-Suède, le 29 juin 1958. ©L'Equipe/Presse Sports ; image de la coupe shutterstock ©J. Helgason
22 : L'Équipe du Santos FC descendant de l'avion, Brésil, 1962. ©Popperfoto/Getty Images ; Pelé et son équipe, dans les douches du Santos FC, Brésil, 1962. ©Popperfoto/Getty Images
23 : Attaquant © Adam Burt/Getty Images
26 : Illustration Ludovic Dufour © Gallimard Jeunesse
27 : Chaussures de foot adidas. © 2009 adidas France. Le nom « adidas », la « marque aux trois bandes » et le modèle de chaussures présenté sont des marques et modèles déposés par le Groupe adidas. Chaussures de foot, début XXe siècle. © Dave King/Dorling Kindersley
28 : Franz Beckenbauer joue, malgré sa blessure à l'épaule, Allemagne-Italie, demi-finale de la Coupe du monde, Aztec stadium, Mexico City, 1970. L'Allemagne perdra 3-4. © picture-alliance/dpa/MAXPPP ; Beckenbauer, New York Cosmos, 1977. ©George Tiedemann/ Corbis
29 : Berti Vogts, Allemagne, affronte Luigi Riva, Italie, demi-finale de la Coupe du monde, Mexico, 1970. © picture-alliance/Sven Simon / MAXPPP ; image du globe sur le dos d'un titan shutterstock © Andrew Chin
30 : Entraîneur de football © George Doyle/ Stockbyte/Getty Images ; image fond de la boîte shutterstock © sn4ke ; photo chronomètre shutterstock © sn4ke
31 : Illustration Ludovic Dufour © Gallimard Jeunesse
32 : Le gardien de but Heinz Stuy et Johann Cruyff de l'Ajax Amsterdam, Paris, 23 février 1973. ©Universal/TempSport/Corbis
L'équipe de l'Ajax Amsterdam victorieuse de la Ligue des Champions 1995, Autriche, 24 mai 1995. © Alexander Hassenstein/Bongarts/ Getty Images ; gladiateur romain shutterstock © Kletr ; sol dallé shutterstock © katatonia82
33 : Johann Cruyff, Ajax Amsterdam ©Aisa/ Leemage ; Cruyff pendant la finale de la Coupe du monde, Allemagne-Pays-Bas, Munich, 7 juillet 1974. L'Allemagne gagnera 2-1. © AFP
34 : Médecin. ©George Doyle & Ciaran Griffin/ Stockbyte/Getty Images ; photo éponge

shutterstock © Natalia Siverina ; gouttes de sang shutterstock © robybret
35 : Avec l'aimable autorisation de la FFF © 2009 adidas France. La « marque aux trois bandes », la marque « sport performance » et le modèle de maillot sont des marques et modèles déposés par le Groupe adidas.
36 : Le gardien de but Olivier Kahn du Bayern de Munich pendant un match amical Bayern de Munich-Jubilo Iwata, Stade national de Tokyo, 30 juillet 2005. ©Junko Kimura/Getty Images/AFP ; Les Allemands Paul Breitner, Franz Beckenbauer, Gerd Mueller and Wolfgang Overath s'étreignent après le but décisif de la finale de la Coupe du monde 1974, Allemagne-Pays-Bas, 7 juillet 1974. L'Allemagne gagnera 2-1 et sera Championne du monde pour la seconde fois depuis 1954. © dpa/Corbis
37 : Shutterstock : le président ©Gemenacom, photo de fond de la boîte ©Bertold Werkmann
38 : L'équipe du New-York Cosmos, Pelé au centre, France, 1976. © Universal/TempSport/Corbis ; Pelé signant des autographes, New-York Cosmos, RFK Stadium, Washington, 29 juillet 1975. © Bettmann/Corbis ; statue de la liberté shutterstock © Luiz Claudio Ribeiro ; pompom girls shutterstock © Yuri Arcurs
39 : Le gardien de but allemand Harald Schumacher et le défenseur français Patrick Battiston pendant la demi-finale de la Coupe du monde, Allemagne-France, Séville, 1982. © AFP ; Ring de boxe en 3D shutterstock © silavsale
40 : Michel Platini pendant un match de la Coupe du Monde France-Hongrie, Leon, Mexico, 9 juin 1986. ©Gerard Rancinan et Pierre Perrin/Sygma/Corbis ; Platini, Coupe du monde 1982, Espagne. © Gerard Rancinan et Arnaud De Wildenberg/Sygma/Corbis
42 : Illustration Ludovic Dufour © Gallimard Jeunesse
43 : Les capitaines du Benfica (Portugal) et du Milan AC (Italie) se serrent la main avant le coup d'envoi de la finale de la Coupe d'Europe, Wembley, Londres, 22 mai 1963. © Hulton-Deutsch Collection/Corbis ; Paolo Maldini saluant les supporters lors du dernier match de sa carrière, Milan AC, 24 mai 2009. © Daniel Dal Zennaro/epa/Corbis
44 : Diego Maradona sous le maillot de Naples, Italie,1991. © Sabattini/ITAL/Rue des Archives ; Maradona tenant la Coupe du monde 1986 lors de la victoire contre l'Allemagne, Azteca Stadium, Mexico City, 29 juin 1986. © Jean-Yves Ruszniewski/TempSport/Corbis
45 : L'équipe de l'Olympique de Marseille lors du match de la Coupe d'Europe opposant l'OM à l'Ajax Amsterdam, 20 octobre 1971. © AFP Basile Boli tenant le trophée de la Ligue des Champions 1993, remporté 1-0 par Marseille contre le Milan AC, Munich, 26 mai 1993. © Christian Liewig/TempSport/Corbis Photo de Marseille shutterstock © Christian Musat
46 : Drame au stade Heysel, Bruxelles, 29 mai 1985. © McCabe Eamonn/CameraPress/Gamma/Eyedea
47 : Supporteur portugais shutterstock © Pedro Jorge Henriques Monteiro ; corne de brume et casquette shutterstock © Sabino Parente
48 : Roger Milla, Cameroun-Colombie 2-1, Naples, 23 juin 1990. © Bongarts/Getty Images ; portrait de Roger Milla, Cameroun, avant un match de la Coupe d'Afrique des nations. © Allsport/Getty Images
49 : Moataz Eno célèbre la victoire de la Super Coupe d'Afrique de son club Al-Ahly, Le Caire, Égypte, 6 février 2009. © Khaled Elfiqi/epa/Corbis ; Mohamed Aboutrika (Al-Ahly) pendant un match de la Super Coupe d'Égypte, Le Caire, Égypte, 21 juillet 2009. © Khaled Elfiqi/epa/Corbis ; Vue des pyramides shutterstock © Ramzi Hachicho
50 : Portrait de Mia Hamm, 1999. © Duomo/Corbis ; Mia Hamm pendant un match de la Coupe du Monde 2003, contre la Suède, 21 septembre 2003. © Paul J. Sutton/Duomo/Corbis
51 : Michelle Akers-Stahl (n°10), États-Unis, contre l'équipe nationale chinoise, George Mason, Univ., Washington, 1991. © William F. Campbell//Time Life Pictures/Getty Images Feu d'artifice shutterstock © siewhoong
52 : Zinédine Zidane, France-Ukraine, Stade de France, Paris, 8 juin 2004. © Christian Liewig/Liewig Media Sports/Corbis ; portrait de Zidane,1995. © Philippe Buchaudon
53 : L'équipe du Nigeria victorieuse aux Jeux Olympiques d'Atlanta, face à l'Argentine, 3 août 1996. © Ruediger Fessel/Bongarts/Getty Images
54 : Portrait de Lionnel Messi du FC Barcelona, célébrant son but décisif contre le Celtic Glasgow pour la Ligue des Champions 2008, Glasgow, 20 février 2008. © Brian Stewart/epa/Corbis ; Lionel Messi, Vigo, Espagne, 28 août 2006. © Lavandeira jr/epa/Corbis
55 : Johann Cruyff, Hugo Sotil et Johan Neeskens du FC Barcelone posent avant un match au stade Nou Camp à Barcelone, le 1er août 1974. © AFP ; Samuel Eto'o du FC Barcelone, Rome, 27 mai 2009. © Daniel Dal Zennaro/epa/Corbis ; Torrero shutterstock © SandiMako
56 : Coupe d'Europe UEFA, 2008. © Bongarts/Getty Images
57 : Coupe d'Afrique des nations, 2002. © Issouf Sanogo/AFP
58 : Copa America, 2007. © Alejandro Pagni/AFP
59 : Coupe d'Asie des nations, 2007. © Saeed Khan/AFP
60 : Coupe du monde, 1994. © Christian Liewig/TempSport/Corbis